嚴冬

美商EHGBooks微出版公司
www.EHGBooks.com

EHG Books 公司出版
Amazon.com 總經銷
2022 年版權美國登記

2022 年 EHGBooks 第一版

Manufactured in United States

Contact: info@EHGBooks.com

ISBN-13：978-1- 64784-134-8

前言

1966 年，一場政治運動把中國大陸推入長達十年的動亂。那時年紀還不大的我，經歷了整個社會狂熱、荒誕、痛苦和迷茫的全過程。把那個時代發生的故事寫下來，讓沒有這種特殊人生經歷的人們，特別是讓我們的後代瞭解這段歷史的想法，一直縈繞在我心頭。

小說《嚴冬》中的人物和故事是虛構的。然而，這部小說有關歷史背景的內容，例如小說中提到的，當時推動這場運動的"兩報一刊"（《人民日報》、《解放軍報》和《紅旗》雜誌）上的文章，以及其發表的日子都是真實的。不僅如此，小說中許多人物和事件都有原型。我把自己和不少同齡人的往事寫進了這部小說。

《嚴冬》講述的是一個十歲孩子的故事。我希望通過一個孩子起伏的命運為讀者提供一個特別的視角，去瞭解那場改變了無數家庭的命運，撞擊億萬人心靈的"文化大革命"。我認同小說需要以故事為載體。我相信，讀者一定會被本書故事中的矛盾、衝突、轉折和懸念，乃至高潮所吸引。

米蘭. 昆德拉主張小說遠離意識形態，例如褒貶某種政治製度。他認為小說的精神在於對存在的探尋，而不是表明立場。對於他的主張我深表贊同。半個多世紀過去了，隨著個人閱歷的增加，我愈發認識到，不管身處何種社會，人們都有可能走向某種狂熱和極端，只是形式和程度會不同罷了。小說應該揭示人和社會非理性的存在，以及人類荒誕行為所造成的惡果。小說也應該彰顯善良與情義，智慧和慈悲，勇氣與正義。《嚴冬》這個故事既揭示了在狂熱的政治運動中，癡迷的群體和社會帶給個體與家庭的災難，也描述了在冷酷和蕭殺的嚴冬裏，溫情、正直和仁義散發出的光和熱。

這本小說的寫作從計劃到動筆，從完稿到編校都得到我妻子張向歡的大力支持。在她的敦促下，我一遍遍地修改文稿。朋友呂行，李冰和程崗對文稿提出了很好的意見。我的大學同學和多年的好友，書法家白謙慎教授為本書題寫書名。梁驥教授為封面設計提供了技術幫助。在此一並深表謝意。

引子

天色暗了。我從墻角的地鋪上爬到窗下，先是雙膝著地，雙手扒住窗沿，細聽沒有什麼異常的聲音，特別是沒有人聲之後，才由跪改為蹲著，慢慢地把頭伸過窗臺。在確信院子裏沒人之後，我站了起來，望著窗外即將被黑暗吞噬的小院。

正對著大門和窗子的是院子的竹籬笆墻。我曾經納悶："這些竹子既沒有葉子又沒有根，不是活的，為什麼竹竿的顏色總不變呢？"媽媽告訴我，"傻孩子，那是刷上去的綠油漆！"我真笨，根本沒想到綠色是漆上去的。竹子過去經常刷漆，像是活的，綠油油的很好看。可是現在，這面竹籬笆墻變得難看極了：墻上被紅衛兵和造反派貼上一層層的大字報和標語。大風一起，墻上的紙被風撕開，一片片扯了下來。大大小小的紙片被風卷上天，又落到墻角。那些碎紙片不甘心安靜地躺在地上，像是發了瘋，在墻角轉著圈亂舞。

就連這扇窗子上的封條也不安生。有三根封條被風撕開一半，"劈裏啪啦"地搧打著窗戶。它們好像不知道自己到底是粘牢在窗子上好，還是被扯斷了，被風吹著到處遊蕩好。封條拍打玻璃窗的聲音弄得我不得安生。我真恨不得到院子裏去把這些封條，連同大字報和標語都撕下來！可是，我哪兒敢啊。

這是我的家。家裏桌椅床櫃被紅衛兵和造反派挪開、推倒。他們翻箱倒櫃，把衣服、書籍和雜物扔得到處都是。別說我人小沒力氣，就算有足夠的勁兒，我也不敢把傢俱還原。如果被人發現裏面的樣子變了，報告給造反派，他們再次登門，我就無處藏身了。半個多月前，爸爸媽媽被抓走，我被他們從屋裏扔了出去。造反派把我家門窗都貼上了封條。兩天前我才下決心打碎後面廚房小窗的玻璃爬進來。白天我裹著被子縮在墻角，乏了睡覺，醒了看書，餓得實在受不了，到了晚上才敢爬出去想辦法找點吃的。

我往左側過腦袋，看著西南方向天空最後一抹慘淡的光亮，懷念起曾經照在我身上的溫暖的夕陽。爸爸媽媽現在被關在什麼地方？什麼時候爸媽才能回家？

第一章

我們家是三年前從香河縣搬回到江安來的。那時候我才七歲。把我從小帶大的唐奶奶沒有跟著來。她家在香河縣的大山裏頭，唐三伯和六叔都在那兒。臨搬家前，我跟著唐奶奶到唐家坳去，同三伯家的柱子和石頭玩了幾天。山裏面可好玩了。

江安是省城，坐落在長江邊。我們家這個大院，裏面住的都是省公安廳，法院，檢察院這幾個機關單位的家屬。我們家在大院的最後邊，門前籬笆上爬滿牽牛花。

搬來江安是八月底。沒等到家裏收拾好，媽媽就帶我去實驗小學辦理轉學手續和報到。

一個阿姨牽著個同我年齡差不多大的男孩正從我們院門前經過，看到我們立刻轉身走了進來。這個阿姨胖胖的，年紀比我媽媽大，頭發往後梳，攏成一個鬏。她張口就問：“大妹子，你是尚廳長的愛人吧？”口音怪怪的。

“是啊。您是隔壁馮院長的愛人？”

“是！早就聽說公安廳下放鍛煉的一個副廳長要調回來。哎喲，沒想到尚廳長的媳婦這麼年輕，這麼俊，一看就是個文化人。”

媽媽伸出右手。“我姓蕭。您貴姓？”

“俺娘家姓章，立早章。” 章阿姨連忙用雙手握住媽媽的手，滿臉笑開了花。我媽媽問：“您是北方人？” “山東。大妹子，你老家在哪兒？” “我是在北京生，北京長大的。” “哎呀，那太好了！” 章阿姨壓低了聲音，“大妹子，俺北方人沒心眼。這兒南方人可不那麼好處。” 她轉臉看看我，又放開了嗓門，“喲，瞧你兒子長得多俊啊！上幾年級了？”

“他叫尚進，該上二年級了。進進，你還沒叫章阿姨吧？”

“阿姨好。”

“好，好！進進，這是我家小五子，這學期也進二年級，你倆該是同學了。大妹子，進進是進實小吧？” “是啊，我這不是要帶他去報到嘛。” “那正好，我們一塊兒去。咱跟學校的人說說，讓進進轉到二（1）班，好跟我家小五子做個伴。”

“那好啊。” 媽媽彎下腰，溫和地看著小五子。“小五子，你大名叫什麼？”

“馮小克。”

“他叫小克。他爸給孩子取的都是怪名字。” 章阿姨差不多和小五子一起回答。

媽媽和章阿姨說話的時候，我就留意小五子了。他長得又黑又瘦，頭發很短，小眼睛不時滴溜溜地轉動著，下巴尖尖的。他穿的白色翻領衫和藍色西裝短褲都很舊了。短袖衫太大，被塞進短褲裏，鼓鼓囊囊的。那條短褲也很肥大，大褲筒下麵露出竹竿一樣的兩條細腿。

“馮小克，這個名字挺好的呀。” 媽媽說，“嫂子，那我們走。” “走。大妹子，你做什麼工作？” “教師。我的工作關系轉到三中了。” “那多好啊，三中是省重點！我家老大老二都在三中，俺可得拜託您幫助我管教這幾個孩子。哎喲，你可不知道。我一口氣生了五個帶把兒的，一個比一個淘。我一心想生個女兒。真的。別人吧，都恨不得生兒子，可小子太多就想要丫頭。生了五個，再不想生了。老馮說，紮了吧。……你們有幾個孩子？” “就一個。” “咋就生一個？” “太忙。” “忙？白天忙，晚上總得上床吧？怎麼，生一個就紮了？” 媽媽笑了笑，“那倒沒有。” “喲，早認識你就好了，俺也能跟你學學招，省得遭罪。”

章阿姨可愛說話了，沒完沒了的一路說到進了實驗小學的大門。

實驗小學是江安市最好的小學之一，學生差不多有一半是省市委和政府機關的子女。媽媽領著我找到她大學同學金校長，很順利地辦好了我的轉學和報名手續。我被安排在二（1）班，和小五子成了同班同學。小五子比我大，但我倆個頭差不多高。這個院裏有不少孩子上實驗小學。

剛開學我和小五子坐在最後一排，他老是找我說話。看我不理他，他用腳碰碰我，從書包裏拿出一個鐵絲做的彈弓槍。我在香河的時候看到大孩子玩過這種槍，沒想到小五子居然有！看到我吃驚的樣子，他得意地用一顆紙疊的子彈鉤住皮筋，拉緊，按在槍座上，然後瞄準前面第一排最右邊聶小琴的後腦勺射了過去。聶小琴“啊”地大叫一聲。在黑板上寫字的白老師猛地轉過身來，“怎麼回事？”

“有人用彈弓打我。”聶小琴一隻手捂住腦袋，帶著哭腔說。

“誰幹的？”白老師的眼睛威嚴地把整個教室掃了一遍，停在我們倆這兒。接著全班同學都看著我們。我不自在起來，禁不住看了小五子一眼。他面無表情。白老師走過來，沖著小五子伸出手，“馮小克，交出來。”“什麼呀？不是我！”“尚進。”“到。”“打聶小琴的是不是馮小克？”“白老師，我不知道。我剛剛在抄黑板上的字。”我把抄字的小本子給白老師看。

白老師把小五子拉起來，捏了捏他的口袋，又檢查了他的書包，什麼也沒找到。白老師叫，“聶小琴，你把書包收拾好，坐到尚進旁邊。馮小克，你的座位和聶小琴對換。” 聶小琴馬上乖乖地照辦了。小五子急了："憑什麼換我的座位呀？""哼，馮小克，我還不信治不住你。"

放學以後，小五子從我的書包裏拿出那把彈弓槍。"早知道聶小琴這麼大驚小怪的，我就不打她了。唉，搞得我倆分開坐了。""槍是你做的？""我哥的。"

小五子家五個男孩的名字分別是：小布，小爾，小什，小維，小克。我聽媽媽悄悄跟爸爸說，"要是馮院長生的不是五個兒子怎麼辦？"爸爸說，"這些名字不分男女都能用。革命化嘛，就是要去除區別，包括男女之間的區別。"媽媽想了想，"嗯，有道理。哎，馮院長是知識分子吧？不然，就算知道有'布爾什維克'這個詞，也想不出拿這幾個字給兒子做名字呀。""老馮正經是大學法律系畢業的，很早就是學運領袖了。我們黨內當法院院長的，沒幾個像他這樣受過專業高等教育。"

因為我們這兒離學校比較遠，學校要求我們一到四年級學生放學排隊回家，由小五子的三哥，六年級馮小什領隊。回到大院隊伍解散以後，我們通常還要玩一會兒，到快吃飯了才回家。有一天隊伍剛散，看到從大院食堂裏出來一個帶著帽子，穿著打了補丁的舊軍裝，走起路來一瘸一拐的人。陳和平眼睛裏突然興奮地放出光來。他招呼大家，"都過來，過來！準備好，預備 — 齊！"

這些小孩一起扯著嗓子喊起來："蔣瘸子，蔣疤瘌，吃茄子，拉粑粑！" 喊完以後，他們一哄而散，留下我莫名其妙地站在原地，看著四散而去的同伴們。

那個被叫做蔣瘸子的人氣呼呼地追了過來。他像是走在農村的水稻田裏，一隻腳好不容易從泥水中拔出來，另一隻腳又接著陷了進去。看到他這樣艱難地追趕，我不知道自己應該像其他小朋友那樣跑開，還是應該待在原地。當他一步步靠近時，我看到他右邊臉上有一塊大傷疤，從嘴角伸到腦後，右邊的耳朵只剩下大半個。他臉上的肌肉不停地抽抽，因為氣憤，兩眼圓睜。面孔，特別是臉上的疤漲得通紅。我不由得害怕起來，一個勁兒地搖著手臂說：“我沒喊，我沒喊！”他也意識到從來沒有見過我，停住了腳步，臉上沒那麼抽了。“你是誰家孩子？” “我姓尚，我們家是剛從香河搬來的。” “哦，尚廳長的兒子。”我點點頭。

他用右手的大拇指往自己的胸口指了指，“我是抗美援朝負的傷。”接著他挺直了身子，滿臉悲戚地環顧四周。那些孩子都躲在附近的墻角和樹幹後面往我們這兒偷看。“蔣瘸子”氣憤地叫：“老子是打美國鬼子負的傷！小王八蛋你們聽著，老子是打鬼子負的傷！” 他脖子上的青筋暴出，兩眼通紅。

吃晚飯的時候，我跟爸爸媽媽說了這件事。爸爸非常生氣。“蔣師傅是榮譽軍人，不能對他這樣無禮和侮辱。聽到了嗎？”媽媽接著說，“進進，即使對街上撿破爛的殘廢人也是要尊重的。人和人之間如果互相不尊重，整個社會就會變得很可怕。”

打那以後，每次看到蔣師傅，別的小孩嚇得就跑，我總是恭恭敬敬地喊一聲：“蔣叔叔好！”

小五子是我最好的朋友。可是，聶小琴以為，老師讓她坐在我旁邊，我就應該是她最好的朋友了。她告訴我，我爸爸是她爸爸的“老戰友”。

我問爸爸是不是認識聶小琴的爸爸。

“姓聶？聶文龍？” 爸爸不敢肯定。媽媽問，“是不是有麻煩的那個？” 爸爸點點頭。“看樣子只能是聶文龍。嗯，他原先是我們團的一個副營長，打仗很勇敢。” 媽媽笑著說，“你看，他女兒和你兒子是同學，這又多了一層關係。” “哈哈，要套近乎，這也能算一層關係。”

沒幾天，我就看到這位聶叔叔了。有天晚飯後，一個留著絡腮鬍子的叔叔拎了一個裝著酒瓶的包進了我們家。看到爸爸，聶叔叔滿臉堆笑地叫“團長”，還蹲下來拍拍我的肩膀，誇獎我長得好，人聰明。“我家小琴可崇拜你們家進進了！”

爸爸客氣地請他進書房，兩個人關上門在裏面說了很久的話。

聶叔叔走的時候，我從窗子往外看，聶叔叔抹著眼淚握住爸爸的手，一個勁地點頭。

放暑假之前，聶小琴悄悄地跟我說，她家要搬走了，搬到郊區的一個工廠去。

後來我才知道，聶小琴的爸爸是管勞改犯的幹部。他利用職權威脅在押犯人的家屬同他發生“男女關係”，被好幾個犯人的老婆、女兒舉報了。他仗著自己過去有戰功，又是包省長的舊下屬，拒不認罪。包爺爺指定由新任公安廳常務副廳長尚和負責處理聶文龍的案子。聶文龍一直對比自己出身更好，資歷更老，打仗更勇敢，而且知道自己底細的老上級尚和有幾分敬畏，也明白自己觸犯了黨紀國法，證據確鑿，躲不過懲罰。於是來求老上級手下留情。而我爸爸看在過去和聶文龍一起在槍林彈雨中出生入死的情分上，心軟了下來，沒有追究他的刑事責任，建議給他“開除黨籍，調離公安隊伍，行政降級”的處分。

聶文龍被調到市郊省農機廠的保衛科當副科長。他自己在公安部門幹過十多年，知道能逃過牢獄之災全靠我爸爸通融。那個時候，他對爸爸和包爺爺是心存感激的。可是，包爺爺和媽媽都批評爸爸“以個人情感代替原則”。爸爸當時還不知道，由於時代的巨變，自己會為犯下的這個錯誤付出多麽大的代價。

1965 年秋季我和小五子上了四年級。現在我們放學回家，歸小五子的四哥管。我們放學排隊回到公檢法家屬大院後，小維哥哥讓我們報數。我報完“十九”，下麵沒聲音了。大家都把頭扭過來，看著我身後的一個女生。

我也是第一次看到這個女生。她背著一個用碎布縫的書包，穿著紫色花的“大襟褂子”，扣子是用布做的，而且是在側面扣。我到山裏唐奶奶家，看女的衣服大人小孩都是這樣。她的頭發既不是短發也不是辮子，而是在腦袋後面用橡皮筋紮了兩個小鬏。她瘦，臉色發黃。看到大家盯著她，這個女孩哆嗦起來，顯得有些害怕，蠟黃的臉變白了。

“怎麽回事？報數不會啊！你哪個班的？”小維哥哥的威風一點兒也不比他三哥差。

“四（2）班。”女孩輕聲說，口音不像我們江安話。

“叫什麽？我以前怎麽沒見過你？”

“蔣貴花。”

有幾個女同學互相擠眉弄眼的，小聲嘰咕說她是食堂蔣師傅家的。我有點同情她，輕聲對她說，“你是外地轉學來的吧。以後我報了十九。你就報二十，記住了嗎？”她沖我感激地點點頭，小聲“嗯”了一下。小維哥哥大聲命令：“馮小克，從你開始，重報！”這次蔣貴花報了“二十”，聲音還不算小。

從此，蔣貴花排隊總排在我後面，走路的時候，我快她也快，我慢她也慢，總差那麽一步，但從來也不敢靠得太緊。不像小五子，走著走著就過來拉著我的胳膊搭著我的肩。小維哥哥一看他不好好排隊就瞪著眼睛訓他。

放學以後，我們男孩兒玩彈球，“鬥雞子”，拍畫片，滾鐵環。女孩“跳房子”，踢毽子，跳繩。別人玩，蔣貴花總是在一邊看。有一次我問李莉：“莉莉，你們怎麽不帶蔣貴花玩啊？”“誰沒帶她玩啊？是她自己什麽都不會！”尹小紅也在一旁幫腔：“她說話我們聽不懂！你們怎麽不帶她玩？”我們又不是女孩兒，我心裏想：這個蔣貴花，真是怪可憐的。

蔣貴花一到晚上就什麽也看不見了，所以每天不等到天黑就往家跑。這個秘密很快傳開了。有一次她剛要離開，一群孩子手牽手把她攔在中間，嘴裏一起唸：“蔣貴花，睜眼瞎，天一黑，要回家。走不了，滿地爬，哈哈哈，哈哈哈！”

這個順口溜又是陳和平編的，他最喜歡幹這種事情。因為他主意多，又有編歌謠的能耐，韓衛東他們總是跟著他屁股後面轉。他們如果想欺負誰，就編誰的歌謠，一起大聲地唸，弄得人很難看。他們不敢欺負小五子，因為他哥哥多。他們也不敢欺負我，因為使壞的人看到我爸爸都害怕。

本來陳和平和韓衛東讓我也參加這個遊戲，但是我可不願意欺負一個女孩子。我看他們這樣，就把小五子拉到一邊。只見蔣貴花被驚嚇得臉上努力露出討好的笑容，嘴裏輕輕地不知說些什麼。她往哪兒走都被堵住，索性原地轉圈，兩只手半舉著，像是投降和討饒。

遠方傳來"貴花"的叫聲。蔣貴花大叫一聲"媽媽"，這才哭出聲來。看到她媽媽急匆匆走過來，這幫孩子一哄而散。

這是我第一次看到蔣貴花的媽媽。她媽媽穿著鄉下人的衣服，但並不土氣。她頭上紮著一根大辮子，長得很好看。看到了蔣貴花被這麼多孩子圍著欺負，她沒有像蔣師傅那樣破口大罵，甚至看都不看四散而去的小孩，只是蹲下來抱住蔣貴花，在她耳邊輕聲安慰著，然後拉著女兒的手回家。

後來，"蔣瘸子怎麼娶了個漂亮老婆"成了院裏小孩的話題。陳和平很快找到答案：蔣貴花的外公解放前是當地有名的大地主"方百萬"，1950 年被"鎮壓"了。方阿姨一心想離開她家所在的鎮子，免得人人都知道她是大地主的女兒。蔣師傅復員轉業，分到省公安廳當炊事員，因為腿瘸了，臉上也破了相，在江安找不到老婆。他回家鄉，經人介紹娶了鄰縣的方阿姨。

陳和平是聽他爸爸說的。他爸爸好像什麼都知道。陳和平的爸爸是省法院的庭長。別人背後都叫他"陳胖子"。

有一天媽媽讓我把傳達室工友送錯了的一封信給院子裏另一個姓蕭的阿姨送去。我把信送到後回家，天已經黑了。我看到一個小黑影向前伸著兩只手，好像摸索著往前走。喲，那不是蔣貴花嗎？她怎麼不在家待著？剛想著，就見她“啪”地摔在地下。她大叫一聲，然後“嚶嚶”地哭起來。

我四周看看，旁邊沒人。於是走到她跟前，叫了一聲她的名字。她擡起頭，哭聲變成了抽泣。

“你怎麼不在家待著？一個人跑出來幹嘛？”

“家裏門鎖著。我一回來就鎖著。”

“你現在想去哪兒？”

“找我爸爸。”

我犯難了。食堂那邊現在正是人多的時候，要是讓陳和平他們看到我扶著蔣貴花慢慢走到食堂，還不定會編出什麼歌謠來笑話我哩。猶豫了一會兒，我說，“你爸爸現在正忙著。你先到我家等一會兒好嗎？”我把她扶起來領回了家。

我媽媽打來一盆水，把蔣貴花的臉和手都洗幹淨了，在摔破的地方抹上紫藥水，然後讓她一起吃了飯。她告訴我爸爸媽媽，她奶奶和媽媽平時都在家，今天不知哪兒去了。還有，她眼睛天一黑就什麼也看不見了。

“夜盲癥。”媽媽問:“你是不是過去晚上一直都看不見？”蔣貴花搖了搖頭。“不是，是夏天進城以後。”

“那就是暫時性的了。沒關係，好治。”

爸爸從書房裏出來，手裏拿著一張紙條，跟我說:“進進，給你一個任務。你到食堂去找蔣師傅，告訴他下班後先來我們家把小貴花領走。如果他不在，你就到他家找。如果家裏沒人，就把這張條釘在他家門上。明白嗎？”“明白！”

蔣師傅在食堂。他知道蔣貴花的媽媽陪發病的奶奶去醫院了，正為孩子的事著急，可是食堂人手不夠，他又走不開。看了爸爸的紙條他放下心來，下班以後馬上趕來。他站在客廳裏，顯得手足無措，一遍遍地說“謝謝”，一遍遍地說“對不起，給老首長添麻煩了。”

爸爸請蔣師傅坐下。

“蔣師傅，聽貴花說了你們家的情況，我感到很內疚。”爸爸溫和地說，“你退伍轉業分到我們單位這麼多年，直到今年才解決家屬轉戶口的問題。說起來，戶口這事兒還歸我們系統管。”

“尚廳長，一提起這事，我老媽和我愛人都說要給您上高香。八年了，單位領導我哪個沒求過？您剛回公安廳不久，就提出要為職工解決後顧之憂。只用了一年時間，就為我家三口人解決了把戶口轉到江安的大事。”

“可是，你愛人的工作問題沒解決。你家三代人還只能住在一間小屋裏。”

媽媽插話了，“貴花得了夜盲癥。如果不重視，後果會很嚴重啊！”

“是啊，是啊。我，我有責任。” 蔣師傅結結巴巴地說。

“蔣叔叔，蔣貴花是缺乏營養，特別是維生素 A。”我剛聽媽媽這麼說，有點著急。蔣貴花說她奶奶跑到菜市去撿別人不要的菜，那哪兒有營養啊。

蔣師傅頭上都冒汗了，臉上表情極其復雜。“知，知道了。那，首長，我們不打擾您一家了。我們走了。”

爸爸笑了笑。“不急。我首先要表揚你，明明就在食堂，但堅決不占公家便宜。否則食堂大師傅的孩子哪有吃不飽，嚴重營養不良的？你一個人工作，工資又低。你愛人的工作需要解決。蕭老師，你們中學可以安排個臨時工嗎？” 爸爸又對蔣叔叔解釋說，“蕭老師是三中黨支部成員，大小也算是個領導。”

“應該可以。”媽媽答應得很爽快。“蔣師傅，你可得多關照老人和孩子的健康啊。盡快帶貴花去看醫生。要給貴花和她奶奶補充營養。這樣奶奶的身體能盡快好起來，貴花的眼睛也會恢復正常。”

“是。我會想辦法的。我家屬工作的事，可不能讓首長為難。”

“沒關係，我們中學的食堂正好需要人手。”媽媽從衣兜裏掏出三張十元的錢。“蔣師傅，在您愛人工作解決之前，這錢先用著。買豬肝，鯽魚，還有新鮮蔬菜。專款專用啊。”

“不不不……使不得，使不得啊。”蔣師傅顯得很緊張，又是搖頭又是擺手的。

“蔣師傅，你這樣推，我們可不高興了。”

“拿著。”爸爸說，“蔣師傅，我看過你申請家屬轉戶口的材料。你在我手下當過兵，跟著我出生入死地打過仗。我不幫你誰幫你？”

蔣師傅從媽媽手裏接過錢。他的手顫抖著，淚水從眼角流了出來。

第二章

我總盼著爸爸媽媽帶我去看包爺爺。他特別和藹可親。我沒有親爺爺，包爺爺就像是我的親爺爺。包爺爺自己的兒女都在外地工作，包奶奶在我們搬到江安之前就生病去世了。我們至少每個月去看一次包爺爺。

我爺爺在我爸爸不記事的時候就死了。奶奶帶著爸爸四處流浪。在一個風雪交加的夜裏，他們母子倆掙紮著走進一個寺院。廟裏的和尚早晨掃雪，發現門廊裏金剛塑像的腳下，一個女人緊緊地摟著一個四五歲的孩子。那女人已經斷氣了。從此，爸爸成了小和尚。

四年後，南方紅軍的遊擊隊經過收留爸爸的那座廟，駐紮下來休整幾天。這些衣衫襤褸的軍人對人很和善。他們的政委姓包，特別喜歡小和尚。得知國民黨軍隊進山圍剿，紅軍遊擊隊連夜轉移。他們走了幾十裡的山路。天亮了，一個戰士發現，廟裏的小和尚一直跟在他們後面。從此，小和尚成了“紅小鬼”。他不知道自己的俗名叫什麼，只記得他媽過去叫他“伢子”。大夥兒一直管他叫“小和尚”。包政委說，不能老是這麼叫，小和尚得有個名字。這樣，把“和尚”兩個字掉個個兒，你的大名就叫“尚和”吧。

那是 1935 年。爸爸說，自從參加了紅軍，他一直跟著包政委。特別是前幾年，他睡覺都和包政委蓋的是一條被子。在他 12 歲正式做偵察員之前，說是給包政委當警衛員和通訊員，每次炮彈落到身邊，都是包政委把他壓在身下。在他心裏，包政委就是他的父親。

到了 1949 年，爸爸已經是團長了。全國解放，大量軍隊幹部轉業到地方工作。我爸爸沒上過學，但是他從小在廟裏背經書，認識很多字，算是有文化的，也跟著包爺爺轉業到了江南省，在公安部門工作。包爺爺說，尚和你還年輕，只認得字還不夠，去學習吧。爸爸 1952 年被“保送”到北京的中國人民大學幹訓班讀書。他在那裏認識了我媽媽。畢業後，爸爸向組織上打報告要結婚。可是，我媽媽的家庭“有問題”。她的爸媽 1948 年在臺灣找到大學教書的工作，把她和她奶奶留在了北京。因為她有“海外關係”，爸爸的結婚報告拖了半年沒批準。包爺爺直接找到組織部，說小蕭的家庭情況我瞭解，如果有問題我願意負責任。這樣，他們才結婚，有了我。

包爺爺特別喜歡跟我說話，問我學校裏的事，還讓我把小學課本和做的作業帶給他看。他戴上老花眼鏡認真地翻看我的課本和作業。看我都得 5 分，包爺爺高興地打開書櫥下麵的門，拿出幾本連環畫，說是獎勵我的。我欣喜地接過包爺爺手中的小人書，連聲說“謝謝！”

我特別喜歡看小人書。在幼兒園的時候，小朋友就管我叫“故事人”。我的故事都是從小人書上看來的。我的第一本小人書《孫悟空三打白骨精》就是五歲那年包爺爺送給我的。打那以後，媽媽又給我買了《大鬧天宮》和《真假美猴王》。我每天晚上都要看小人書，開始是看著書上的畫畫，聽媽媽講。她講了以後，就讓我重復講一遍給她聽。我如果能從頭到尾把一個故事講下來，還能認書上的十個生字，媽媽就再給我買一本小人書，而且隨便我挑選。所以，我會講好多故事。

爸爸跟我說，“進進，你去廚房陪媽媽做飯。我和包爺爺說話，好嗎？” 我點點頭，跟著媽媽往廚房走去。可是心裏想，他們說話為什麼不讓我聽呢？好奇心促使我停在房門口他倆看不見我的地方。

爸爸問：“老政委，中央工作會議上，對‘反修防修’有什麼新的精神？” “表面上似乎基本方針沒變，但是各有堅持。

少奇同志強調重點在基層。要繼續打擊地富反壞右，以及變質變修的幹部。毛主席認為修正主義的根源在上層，說反修防修的重點是防止中央出修正主義。”“這和‘農業六十條’、‘三自一包’有關係嗎？”“我看有。但沒明說。”“不會再來一次反高饒，反彭黃張周吧？”“嗯，……不是沒有可能。”

我一點兒都聽不懂，於是坐在廚房的小桌邊看起《武松打虎》來。

我們的語文老師，也是我們四（1）班班主任，姓宋。她個子小小的，頭發短短的，嗓門卻特別大。宋老師的愛人是解放軍連長，駐守在很遠很遠的邊疆。所以，她在教室裏掛滿解放軍的畫。平時，她還愛把《解放軍報》帶到班上來，唸給我們聽。

宋老師說，小學生也要關心政治。1966 年五一勞動節放假後不久，有一天早讀，宋老師把《解放軍報》帶到班上來，給我們唸《向反黨反社會主義的黑線開火》。她告訴我們，在北京有一個“三家村”，裏面三個人都是壞蛋。他們寫文章罵共產黨和社會主義。

“現在，全國人民都在口誅筆伐三家村，我們實驗小學也要組織革命師生和他們作鬥爭。大家說，我們要不要參加？”“要！”“那好。我們班就選一個代表發言吧。大家看，選誰呢？”

“尚進！”小五子舉起右手，高聲地喊。全班同學跟著他喊，“尚進！尚進！”

“好！尚進是少先隊中隊長，學習成績好，普通話說得也好。我們就選他。”

下午放學，我正要去操場排隊，宋老師叫住我。她遞給我一張發言稿，要我這幾天準備一下，保證開會時能夠順暢地讀下來，最好能背誦。

晚飯時，我跟爸爸媽媽說，我們學校要開會批判“三家村”，宋老師讓我代表全班發言。“小學生發言批判‘三家村’？” 爸爸有些吃驚。“那你打算說些什麼？” 我從書包裏取出宋老師幫我寫的發言稿，遞給爸爸。他瞟了一眼，放在一邊。“先吃飯。吃完飯你唸給爸爸媽媽聽。”

爸爸對我在學校裏的學習和活動從來沒有這麼重視過。他和媽媽把飯桌都收拾幹淨了，坐好，才把我叫過來。“進進，你站好了讀。” 他把宋老師寫的稿子交給我。看這架勢，我有一點點緊張，額頭上都冒汗了。

“……在毛主席黨中央狠狠打擊了右傾機會主義的……什麼張氣焰後，” 我偷偷看了一眼爸爸媽媽，他們表情沒變。我於是接著讀，“三家村以古諷今，旁敲，側擊，向黨和人民射出一枝枝反黨，反社會主義的毒箭。攻擊大躍進是‘偉大的空話’，為蘇修塗，脂，抹粉。赤……果果地暴露了他們對黨的刻骨仇恨。……”

終於把稿子讀完了。我的汗衫都濕了。我擡頭看爸爸媽媽。他們也長長地出了一口氣。

“要不要改寫一下？” 媽媽輕聲徵求爸爸的意見。爸爸皺著眉毛，微微地搖了搖頭。“進進，字可不能唸錯啊。這樣，今天晚上，你把這個稿子先抄一遍。把生字都註上音。以後每天回家都要讀，一直讀到特別順暢了。批判會是下個禮拜吧？” 我點點頭。“來得及。讓媽媽幫助你。”

實驗小學召開批判“三家村”的大會。特意停課半天。在正式開會之前，全校師生高唱：“拿起筆，做刀槍，刀山火海也敢上。誰要敢說黨不好，馬上叫他見閻王！”

金校長做了動員報告以後便是教師代表和學生代表發言。其實，別人發言說了些什麼，我根本沒注意。心裏緊張嘛。讓我給全班講個故事還行。這站在臺上，面對全校好幾百人，看著周圍耀眼的紅旗和幾百人胸前的紅領巾，聽著震天動地的口號，我興奮異常，也緊張過度，不知道自己是怎麼走到臺上，怎樣把批評稿從頭到尾給背下來的。接下來，我又懵懵懂懂地回到四（1）班的隊列裏。在那一段時間裏，我幾乎感覺不到自己的存在。真的，我使勁掐自己的胳膊都不覺得疼。

放學回家的路上，小五子跑過來拉著我的手臂使勁搖晃。“進進，你太厲害了！你知道嗎？就數你和宋老師講得最好！”“我沒背錯吧？”“沒有，沒有！”其實即使我把段落或句子顛倒了也沒關係。像爸爸說的，順暢了就好。小維哥哥過來了，這次他不但沒有罵小五子，還笑著向我豎起大拇指。

學校變得熱鬧起來。紅色的標語，蔥綠的樹葉，燥熱的天氣。老師和同學們都躁動不安。

六一兒童節快到了。實驗小學要參加全市小學生的匯演活動。本來我只是實小合唱團的一個新團員。可是，宋老師反復向金校長請求，讓我擔任合唱指揮。她說我形象好，不怯場，比高年級學生擔任指揮更能出彩。我便糊裏糊塗地做了合唱指揮。對於我來說，做指揮也就是等合唱團都在臺上站好了，我才走出來，向觀眾鞠個躬，再轉向合唱團，聽風琴把前奏彈完，揮手打拍子。不難。但為什麼一定要指揮呢？我一直也沒弄明白。我自己站在隊列裏唱的時候，從來也不看指揮。

六一兒童節前一天的晚上，吃晚飯的時候，收音機裏廣播《人民日報》社論《横掃一切牛鬼蛇神》。我反正聽不懂，一個勁地跟爸爸媽媽說第二天要演出的事。但是這一次媽媽有些心不在焉。爸爸安慰她，“你放心。搞運動又不是第一次了。”“可是這一次不同，好像是發動學生整老師和學校領導。”媽媽愁眉不展。爸爸安慰她，“那也不能無法無天吧？”

我的情緒一點兒也沒有受影響，反而像廣播裏說的，“很高漲”。六月一日江安市少年兒童匯報演出下午在市人民公園廣場露天劇院舉行。我們實驗小學的大合唱排在最後，是“壓軸戲”。合唱團團員站滿了舞臺後半邊。背景是鮮艷的印著星星火炬的少年先鋒隊隊旗。大家統一穿白球鞋，藍褲子，白襯衫，戴紅領巾。先唱“少年先鋒隊隊歌”，再唱“我們是共產主義接班人”。唱到最後“向著勝利勇敢前進，前進！我們是共產主義接班人”，我拿指揮棒的右手高高舉起，在空中劃了一個大圈，然後有力地往斜下方一劈。全場掌聲雷動。

我哪裏知道，我幸福的，興奮的，“革命”的童年，隨著這一揮手，也劃上了一個休止符。

六一兒童節的那天晚上，中央人民廣播電臺“新聞聯播”向全國播送北京大學的大字報。我看爸爸媽媽聽的時候臉上特別嚴肅。

幾天後的傍晚，下著小雨，天色早早就暗了下來。媽媽很晚都沒回來。爸爸讓我到食堂去買飯菜。終於，看到媽媽拖著疲乏的身子回到家，頭發淩亂，臉色蒼白。她飯也不吃就進了裏屋躺下了。我覺得不對勁，沒敢問，站在爸媽的房門外，悄悄聽裏面的動靜。媽媽好像哭訴著什麼。爸爸壓低嗓門憤憤地說，“這他媽的叫瘋狂。我都不信這些混小子能翻天？”

“咚，咚，咚” 有人敲門。我不知怎麼了，沒敢去開門。爸爸走出房間，去把門打開。進來的是章阿姨。她進來就把門關上，情緒激動地問：“大妹子怎樣？”

“還好，馮嫂子。謝謝你關心。”

“這些王八羔子！天、地、君、親、師，自古以來備受尊從。現在他們連校長老師都敢鬥爭。良心讓狗給吃了？俺們是革命家庭，不怕他們！”

“嫂子您坐下說話。”

媽媽聽章阿姨一通怒罵，起身出了房門。

章阿姨看到媽媽憔悴的樣子，心痛地抱住媽媽。“大妹子，你吃苦了！” 她憤憤地說，“我跟我家兒子說了：你們參加鬥別人可以，要是敢鬥你蕭姨，我就打斷你們的狗腿，不許你們進家門！別人不知道，你們還不知道蕭阿姨人有多好？”

媽媽苦笑一聲，“嫂子，這是中央號召的文化大革命。”

“中央？俺們男人不都是給共產黨坐堂掌印把子的？俺們可不是地富反壞右！尚廳長你給說說，公檢法要不要管管他們這些無法無天的小子？”

爸爸避開她的眼光。“唉，嫂子，您別激動。在家當著孩子的面也別說這些話。上級黨委是會管的。可是，……”

“可是什麼？啊！” 章阿姨眉毛往上豎了起來。她看爸爸不出聲，咳嗽了一聲，聲音低了下來。“哎，尚家兄弟，你給俺說道說道。我問老馮，他什麼也不肯說。”

“我們誰都不知道這場運動會發展到哪一步。只怕就連我們自己，也要做好思想準備，接受群眾運動的沖擊和考驗。” 爸爸誠懇地對章阿姨說，“所以，嫂子，您不管是在外面還是在家裏，再也不要說剛剛說的那些話了。好嗎？話說多了，可能會連累老馮的。”

章阿姨傻眼了。“會，會嗎？” 她停頓了一會兒。“那俺們惹不起，躲還躲不起嗎？聽二子說，批鬥會上有人上臺扇你們耳刮子。開了這個頭還了得！” 她看著媽媽，像是想證實一下。媽媽點點頭。“那大妹子，你就別去學校了，好不好？不是停課了嗎？那你就待在家裏，哪兒也別去！”

“哎呀，那恐怕不行。那是抗拒群眾運動啊。”

“就是要抗拒！” 章阿姨的眼睛又瞪了起來。“你可別死心眼！今天有人能扇你們耳刮子，下一次就有人會使棍棒！” 她壓低了嗓門。“一提起鬥爭會，我的頭皮都發麻。當年開我公公的鬥爭會，說他是地主老財。老頭子不服，說地是我的不錯，可我哪點對不住你們？荒年減租，農忙給雇工吃白麵饃饃加燉肉。我們自己都捨不得吃啊。村裏的二混子拎著根扁擔，上去就是一頓暴打。公公頭打破了，吐了一地的血。” 爸爸媽媽都不出聲。我聽得頭皮也發麻了。

章阿姨接著說，“我公公沒過多久就死了。要是他聽我的，早一步跑到城裏，在老馮那兒窩著，怎麼也不會丟了命吧。可那老頭子強著哩，說他沒幹過壞事，不信不講王法。你看。……”

幾個大人沈默了很久。

章阿姨又說，“大妹子，咱不幹了，工資也不要了行不行？你家老尚一個人的工資養活三口人綽綽有餘。你就貓在公檢法的家屬大院裏，那些中學生敢闖進來抓人？哎，尚廳長，你發個話呀！”

爸爸想了想。“嫂子說得對。我們先請個病假吧。”

“對嘛！明兒就讓我們家老大幫你把病假條帶到學校辦公室去。”

“那倒不用。”爸爸臉上露出笑容。“別把孩子卷進來。我派個警員送過去。我們家蕭老師本來就有病，連醫院開的病假證明都有。”

媽媽從此便待在家裏了。章阿姨主動承擔幫我們買菜的事。每次送菜來，順便要把三中，也就是我媽媽那個學校發生的事說給媽媽聽。媽媽心情很不好。爸爸更忙了，經常很晚才回家。

爸爸告訴媽媽，市委派出了工作組到各個大學和中學，他們公檢法系統也抽調了人手參加工作組。工作組的任務是“復課鬧革命”，領導群眾運動。媽媽說，那我回去上班吧。

“不去！”爸爸態度很堅決。“事情沒那麼容易結束。你給我好好在家待著！”我還是第一次看到爸爸在媽媽面前耍威風。

爸爸真有遠見。章阿姨很快就來報信，說三中的學生可野了，貼出大字報要工作組滾蛋。他們開會鬥“黑幫”，把校領導和老教師的臉上塗上黑墨，脖子掛上寫著“黑幫分子”，“老右派”，“反黨反社會主義分子”之類的小黑板，開會鬥爭。真的像當年鬥地主那樣，對他們拳打腳踢。開完會，押著他們遊街示眾，用皮帶抽著他們，逼著他們喊，“我是反黨反社會主義的黑幫！我是牛鬼蛇神！”

放學的時候，我們常常看到“黑幫”遊街。這時候回家的隊伍也亂了。有些小學生撿起磚瓦石頭塊，朝“牛鬼蛇神”頭上扔。他們被磚塊砸得頭破血流。小孩子哈哈大笑。

我們家每天都收到勒令我媽媽蕭茳芏回校接受革命群眾批鬥的信。聽說有一隊紅衛兵想進入公檢法家屬大院，被門衛阻攔住了。媽媽跟爸爸說，這樣長期下去總不是個辦法。爸爸問，要不把你送到唐奶奶他們的大山裏去，等太平了再回來？媽媽說，就是被打死也不願意離開爸爸和我。

第三章

看到中學生“鬧革命”，小學生也坐不住了。我們實驗小學高年級學生貼出“打倒金月朦”的標語，下午他們也不上課了，把金校長和幾個年紀大一點的老師扭到六(2)班的教室開批鬥會。晚飯的時候，我把這個消息告訴了爸爸媽媽。

“那些小孩子都幹了些什麼？”媽媽關切地問。“我沒去看。都是聽小五子和陳和平說的。他們給金校長和餘老師他們的脖子上掛上小黑板。黑板上寫著‘反黨反社會主義分子’還有‘地主階級孝子賢孫’什麼的……說金校長搞封資修。”“金校長挨打了嗎？”我點點頭。“打了。用皮帶抽。高年級的學生還讓被鬥的老師跪在長板凳上。把他們的手從後面捆起來。然後，……”我看了爸媽一眼。“然後怎麼了？說呀！”媽媽著急了。“然後，他們把板凳踢倒，讓……他們摔下來。”媽媽聽了，眼淚流了下來。爸爸從後面用雙手摟住媽媽的肩膀。

“為什麼？尚和，為什麼要這樣？”

爸爸看著地面，一句話也沒說。過了一會兒，他對我說，“進進，你還小，這樣的批鬥會不要去參加。”

“好在快要放假了。否則，……唉，金月朦的感情是很脆弱的。”媽媽擔心地說。“可是，我們中學就算放了假，亢奮的學生也不會離開。”

“媽媽，什麼叫亢奮？”我對這個詞很感興趣。

“行了，進進。爸媽在家說的話可不能到外面跟小朋友說，會闖大禍的。” “爸爸，我知道。” “知道就好。記住：現在這種情況，說錯一句話就有可能害了許多人。”

爸爸媽媽不說話了。我也不說話了。吃完飯，我就回自己的房間寫作業。

天完全黑下來以後，我聽到有人敲門。接著門外傳來一個熟悉的弱弱的聲音：“茳芏，茳芏，我是金月朦。”

我一聽是金校長，馬上放下筆，走到房門口。只見媽媽把門打開，金校長一進門，抱住媽媽就哭。我嚇得不敢過去打招呼了。

媽媽把金校長拉到方桌邊坐下，朝書房喊了一聲，“尚和，你出來一下。” 她走到我的房門前，沖我使了一個眼色，手朝書桌指了指，我進屋後她把房門給關上了。

幾個大人在堂屋裏談了很久。

第二天課間操結束後，學校教導主任郭老師在擴音喇叭裏宣佈：“大家不要散。現在宣佈學校重要通知。” 通知說，為了教職員工以全部身心投入偉大的無產階級文化大革命，經校領導研究，實驗小學自明天起提前放假。本學期取消考試，以實際行動反對資產階級教育方針。

一聽說不考試，還提前放假，學校操場上一片歡呼聲。只有我心裏知道，一定是我爸爸媽媽教了金校長這一招。這樣就不會有楞頭楞腦的小學生搞的批鬥會了。

實驗小學提前放假，別的小學也有樣學樣，把小孩子送出校門。但是中學的學生因為鬧革命，特別“亢奮”。（我想我明白這個詞的意思了。）他們組織各種紅衛兵戰鬥隊，什麼“東風”，“金猴”，“紅旗”，還有“血戰到底”，“倒海翻江”造反兵團。這些中學生戴著紅袖章，舉著紅旗，唱著“馬克思主義的道理，千條萬緒，歸根結底，就是一句話：造反有理！造反有理！”，到處搞“革命行動”。

爸媽不讓我出公檢法機關家屬大院。小五子的爸媽也不讓他跑到大街上去。但是小五子沒有我聽話，自己偷著跑出去好幾次，每次回來都興奮地告訴我，紅衛兵怎麼把街道上的“五類分子”押到大街上，用棍子和皮帶往死裏打。又說，他們去袁曉麗家，把花瓶、茶壺、杯子和碗從二樓窗口扔下來。樓下滿地都是碎瓷片和玻璃渣子。他看到袁曉麗爸媽的結婚照片鏡框也扔下來了，“可是沒碎！你看，資本家家裏的東西多結實吧！紅衛兵跑了下來，用磚頭使勁一砸！”

袁曉麗是我們實驗小學五年級學生。大家都說她是我們學校長得最漂亮的女生。她爺爺是省工商聯的主席，過去是大資本家。

“為什麼扔她家的杯子和碗呢？不讓她家人吃飯啊？”我不明白。

“哎呀，她家的東西都是特別值錢的。她家是資本家嘛。那些東西上面都有好看的畫畫和字，都是封資修的！進進，我跟你說，趕快去看。再不看就看不到了。”

我有些動心了。提前放假，在家都憋死了。再說，外面又這麼熱鬧。小五子告訴我，他二哥說，他們學校的紅衛兵開會，決定把抄家抄來的反動書籍和古字畫統統燒掉。“在哪兒燒？”“他們學校操場啊。”“噢，三中啊，那我不去看。”小五子明白我是怕被別人認出來是蕭老師的兒子。他給我出主意：穿上他哥哥最臟最破的汗衫，把頭發搞得亂亂的，臉上抹上泥巴，裝成要飯的叫花子。這樣誰也認不出來。他還說跟我一道化妝。

這太好玩了！我覺得這真是個不能拒絕的好主意。

吃完晚飯，我跟媽媽說，院子裏面的小朋友要聽我講故事。“哪幾個小朋友？” “小五子、陳和平還有韓衛東他們啊。” “那你去吧。別回來太晚。” “不會的。”

我丟下飯碗就跑，覺得媽媽從窗子裏一直看著我，直到我敲小五子家的大門。

小五子早就等急了，聽到我叫門就溜了出來，身上還背著一個小書包。他拉著我的手，繞到後面院墻下。墻外是人民公園的竹林。

他從書包裏掏出兩件舊汗衫，把其中一件遞給我，自己脫下身上穿的汗衫，疊好放進書包。我也學著他的樣子換了汗衫。他哥哥的汗衫一股汗餿味。小五子把書包掛在黑暗處的灌木上。

靠墻有一棵桑樹。小五子拉著我走到樹下，二話不說就往樹上爬。他肯定不是第一次爬樹上墻了，動作很麻溜。他抱著樹杈，腳一蕩站在墻上，著急地對我低聲說，“快呀，你。”我有一點緊張，不過更不想讓小五子笑話，於是學著他爬樹上墻。好在他沒在意我笨笨的樣子，還扶了我一把。

這麼高，怎麼下去呢？往下跳我可真不敢。只見小五子把身子趴在墻頭上，先把一隻腳放下去，再放另一隻腳，然後身子下沈，雙手扒住墻頭，好像站在什麼東西上面了。他對我揮了揮手，“這邊，過來，墻上有洞。” 我又學著他，把腳伸下去。小五子握住我的腳，放進墻洞裏。他跳了下去，幫我的腳找到靠墻摞起來的幾塊磚頭上。

哇，就這麼爬過這麼高的墻了，真帶勁！

“你修的秘密通道啊？” 我驚喜地問。

“不是。我早就偵察到我哥哥這麼翻墻頭。” 小五子呲牙一笑。有哥哥真好！

他把我帶到池塘邊，自己雙手往水裏伸，抓出兩把泥，往臉上頭上抹。我看了哈哈大笑，也從池塘水下抓出泥，往臉上頭上抹。小五子笑得更厲害，還把髒手往我身上抹。

“哎呀，把你哥哥的汗衫弄這麼髒怎麼辦？”

“本來就是髒的。再說，我媽媽怎麼知道是我弄的？要罵也罵我哥哥。”

既然是這樣，我也不客氣地用他身上的汗衫把手擦幹了。

天全黑了。我們一路小跑出了公園，往三中跑。這樣抄近多了。怪不得小五子的哥哥翻墻。

三中的大門敞開著，好多人往裏走。我倆跟著人群進去，沒人管。大操場上到處都是人。一個紅衛兵拿著大喇叭領頭喊口號：“革命無罪！造反有理！”“破四舊，立四新！”“讓封資修見鬼去吧！”

有人用手指著教室的方向議論著。一排戴著紅袖章的大孩子，手裏捧著成摞的書，還有一卷卷帶立軸的字畫走進人群。人們讓出一條道來。他們走到操場中間，把手裏的書和字畫，還有木雕什麼的都扔在地上，堆成一堆。一個領頭的紅衛兵順手把散開的一卷畫的畫軸扯下來，劃了一根火柴點燃那張古畫，再把點燃的紙卷扔到書畫堆裏。別的大孩子撕書的撕書，扯畫的扯畫，往火上扔。這樣火燒得更猛。我的眼睛盯著幾本小人書，看到小人書燒起來，身子不由自主地打了個激靈。

小五子用手肘碰了碰我，“進進，你看那是什麼？”他的手指著從紙袋裏滾落出來的幾個黑色的，圓圓薄薄的東西。我認出來了，“唱片。”我補充說，“肯定是資產階級的音樂。”“你聽過嗎？”“嗯。”“那些片片怎麼會唱呢？”“放在一個專門的機器上轉。用機頭上的一根針對著唱片，就有音樂出來。”我記得跟媽媽到一個阿姨家，她家就有這樣的唱機和唱片。“好聽嗎？” 我點點頭。“資產階級的東西都是讓人享受的。”

我們圍著火堆轉，想看看還有什麼稀奇的東西。一個帶著紅袖章的中學生指著我們大聲說，“喂，小孩！離遠點。” 聽他這麼喊我放心了，沒人認出我是誰。

我還是怕回去晚了媽媽會擔心，硬拖著小五子離開了三中。在公園裏，我們到自來水龍頭前把頭和臉洗幹淨，原路翻墻回去，換了衣服，回到家裏。

雖然回家不是太晚，但畢竟跟媽媽撒了謊，我有點心虛，進了門就往自己房間走，被媽媽叫住了：“進進！”我嚇了一跳，回過頭，這才看到方桌邊不光是媽媽一個人。爸爸在，連平時很少來我家串門的馮伯伯也在。難道他們發現我和小五子翻墻出大院的事情了？

看我楞楞地站著，爸爸感到有些奇怪。“咦，這孩子怎麼丟了魂似的？怎麼不叫馮伯伯？”

我這才回過味來，也放下心來，叫了聲：“馮伯伯好。”

馮伯伯一貫嚴肅的臉上露出了少見的笑容。“進進真是個好孩子。我家小五子太厭了。他能有進進這樣的朋友，我們兩口子省心多了。”

聽馮伯伯誇獎我，媽媽心裏當然高興。“進進，馮伯伯表揚你，你該說什麼？” “謝謝馮伯伯。” “嗯，好。你進屋看書去吧。把門關上啊。”

我進屋關上門，出了長長的一口氣：我剛洗了頭，頭發還濕著哩。他們也沒看出來！不過，馮伯伯為什麼這麼晚還來串門？媽媽為什麼叫我把門關上？

我把書在桌子上攤開，悄悄來到房門口，透過門縫往外看。幾個大人說話的聲音都不大，但是仔細聽還是可以聽到。

馮伯伯在說話，“……老尚說得對。學生並不明確這場運動的目的是什麼。他們在學校裏批鬥老師，出了校門抄家打人。在街上看到什麼奇裝異服就抓，剪女同志的卷發，脫男同志的尖頭皮鞋。燒小說，撕字畫。這怎麼會是運動的目的呢？”

“充其量也就是熱身運動。老馮，你接著說。”

“說正經的，這些事起到的作用就是把群眾發動起來。可是發動起來要幹什麼？” 馮伯伯停頓了一下，看著我爸媽。

媽媽皺了皺眉頭。“馮院長，你說說看。”

“這個陣勢比我們黨內歷史上任何一次運動都要大。有點像解放初期的鎮反運動。那個時候，我們要消滅盤踞在中國大地上幾千年的封建地主階級。”

“可是現在已經沒有敵對階級了呀。” 媽媽不明白。

“昨天《紅旗》雜誌社論提出了文化大革命的‘政治標準’，說任何人不管職務多高，資格多老，聲望多大，只要不按毛主席指示辦事，都要打倒。” 爸爸解釋。他嘆了口氣，“這應該是有所指的。”

馮伯伯接著爸爸的話說，“而且，顯然不會是五九年廬山會議所反的彭黃張周這個級別的。”

“既然問題在中央，為什麼要在全國範圍內搞這麼大的運動呢？” 媽媽還是不明白。

“這說明從中央到地方，黨內贊成或執行‘反動路線’的形成多數。撤掉幾個人，或者小範圍的整頓工作作風解決不了問題。” 爸爸說。“老馮，我如果說錯了，您盡管批評。”

“敏銳啊！尚老弟。話說得如此直白，恐怕也只有你敢。受教了。” 馮伯伯苦笑一聲。“說實話吧。我這心裏憋得慌。滿肚子的話，滿肚子的疑問，我跟誰說去？老尚啊，咱倆沒有深交，可是，環顧左右，也只有你……”

媽媽站了起來。“你們哥倆聊著吧。我得去看看進進有什麼需要輔導的。”

馮伯伯急了，也站起身來。“你看看你，小蕭，我可沒有什麼要瞞著你的意思啊。你們兩口子還不是跟一個人一樣？你坐下。你這弄得我好像……，唉。”

“馮院長，我沒那個意思！”媽媽抱歉地一笑，“你們談工作相關的事，我還是不參與。再說，我的政治水準也實在不高，盡說些幼稚的話。還是你們聊吧。我去看看進進。”

我趕緊回到書桌邊，假裝一直在看書。

我怕媽媽問我看了些什麼，我又沒看書哪裏能回答出來？所以，媽媽一進門我就主動問話：“媽媽，你們和馮伯伯說些什麼呀？”

“哦，馮伯伯有工作上的事情要和你爸爸商量。”

“他們不是有上級嗎？怎麼不問上級？”

“你還挺會出主意。他們又不是小學生，有問題就去問老師和家長。等你長大了，許多事情都是需要你自己想辦法解決的。”

“哎，媽媽，我們很久沒去看包爺爺了。假期馬上都要結束了。你們帶我去看看他吧。”

媽媽嘆了一口氣。“現在可不是去看你包爺爺的好時候。再說，剛剛你馮伯伯還說到，你包爺爺到北方參加一個省委書記的追悼大會去了。那個省委書記是你包爺爺的老戰友。”媽媽顯得心事重重。

我遲疑了一小會兒，小心翼翼地說，“媽媽，小五子告訴我，他大哥在家說，包省長是黑幫，是黨內最大的走資派在江南省的代理人。” “胡說！” “我知道是胡說。小五子說，馮伯伯也罵他大哥了。可是……” “馮小布還說什麼了？” “他還說，這是你們三中紅衛兵代表到北京，中央文革小組告訴他們的。他還說，北京的紅衛兵大學生要來江安串聯，把江南省的革命群眾都發動起來，揪出譚書記和包省長。”

“哎呀，你看看，連你們小學生整天都在說革命和造反的事情。那工人農民還要不要生產，學生還要不要讀書呢？”

媽媽站了起來，走到房門口又回來坐下了，臉上的表情更加凝重。

“媽媽，馮伯伯一定會跟爸爸說的。他來，可能就是為了告訴爸爸這件事。”

媽媽沖我一笑。“你還真夠機靈的。唉，就是年齡太小，哪能經得起大風浪。”說著說著，她的眼圈都紅了。

我不敢再問包爺爺和爸爸的事情了。我只能在心裏想：如果包爺爺成了“黑幫”，我爸爸肯定跟著被打倒。如果爸爸被打倒，那媽媽和我……

我連想也不敢想了。

第四章

那天跟小五子翻了一次墻以後，我老想著翻墻頭的事，覺得特別過癮，也為自己的笨手笨腳感到丟人。我沒有告訴小五子，自己一個人偷偷練習爬樹，上墻，翻身下墻。練了好幾次，覺得已經特別熟練了以後，才建議小五子和我一塊兒翻墻到人民公園去玩。

小五子還是一馬當先，上樹過墻。可是他特別粗心，一點兒也沒有發現我翻墻的技術一下子提高了那麼多。也許他認為大家都應該是這個樣子的吧。我有點遺憾。

翻墻頭的事，我和小五子拉過勾，發誓這個秘密只有我們兩個人知道，不僅不能告訴家長，就連大院裏的小朋友也一個都不告訴。

八月底了，可是小學還沒有按時開學的通知。我們小孩子反正不著急，大家玩得很高興。大院裏我們幾個男孩玩彈球。彈球是兩分錢鋼鏰那麼大的玻璃圓球，圓球中間有不同顏色的花瓣一樣的東西。玩這個誰也玩不過小五子。他用食指勾住彈球，大拇指在球後面使勁一彈，彈球對著別人的球筆直地滾過去，“梆”的一聲，把另一隻彈球撞出去好遠。這就算贏了。我問他怎樣才能和他一樣彈得又準又狠。小五子聳聳肩說，“我也不知道。多練唄。” 可是我想，竅門一定是有的。小五子的哥哥肯定教他了，只是他不知道怎麼說罷了。我在自己的房間裏也偷偷練過，但還是不如小五子。

玩這些，陳和平別說小五子了，連我都不如。他家人不管他，他常常上街玩，所以知道的事比我們多。每次玩不過我們的時候，他就會說一些新鮮的事情。他說，“知道嗎？譚元元的爺爺是大黑幫。包省長也是大黑幫！” 譚元元也在實驗小學上四年級，但跟我們不在一個班，是四（2）班的。在學校的時候，我們總在一起玩。

“你胡說！”我很生氣。

“不騙你！街上到處都是大標語。不信你們自己上街看。”陳和平的樣子還很得意。他又說，“今天晚上要在人民公園召開批鬥江南省委黑幫的大會。這是我爸爸說的。”

我跟小五子商量好，晚上偷偷翻墻到人民公園去看看。可是，媽媽好像猜到我們的計劃一樣，在吃晚飯的時候對我說，今晚哪兒也別去，就在家待著。

我著急了。“可是，媽媽，我都答應蔣師傅，幫助蔣貴花做算術的文字題。她上學期算術成績不好。今天到食堂打飯的時候，蔣師傅說請我幫助蔣貴花。我還說讓小五子陪我去她家的哩。” 這件事是真的。我並沒有說謊。雖然，我也沒有打算今晚就去她家。

“是嗎？那倒是應該的。記住，去人家不要吃他家的東西。她家困難。”

既然跟媽媽說了這話，我們還是先去了蔣貴花家，跟她說好了，明天和她一起做算術題。然後，我倆就繞到後院墻邊，剛爬上墻，就聽到嗡嗡的人聲從公園廣場那邊裹著熱浪，穿過竹林向我們撲來。沒有一絲風，但是口號聲響起的時候，竹子的枝葉都在顫動。平時，一到晚上竹林裏的鳥兒就嘰嘰喳喳地叫個不停。可是今天開大會的陣勢把鳥兒都嚇得不敢出聲了。

人民公園裏有一個廣場。廣場的前面有一個露天大舞臺。對了，兩個多月前慶祝六一兒童節，我們實驗小學合唱團參加演出就在這裏。

我倆個子小，在人群後面什麼也看不見。小五子拉著我往人群裏擠，見縫就鉆，拼命往前，一直擠到舞臺下面。我們還沒有站穩，就看到一隊戴著紅袖章的人押著幾個花白頭發的老頭上了舞臺。

我渾身的汗毛都豎了起來：這幾個老頭裏面，第一個是譚元元的爺爺，第二個就是包爺爺！他們脖子上掛著用木板做的大牌子，上面寫著“反黨反社會主義分子”，“死不改悔的走資派”，“反革命黑幫頭目”等等，還有他們的名字。名字上打了鮮紅的大叉。他們每個人都被兩個帶紅袖章的人從後面扯著胳膊，在臺前站成一排。有人拿來三尺來高紙糊的高帽子給他們戴上。高帽子上寫著和他們胸前牌子上差不多的字。押著他們的人，把他們的胳膊從後面往上擡，肩膀往下壓。包爺爺他們只能彎著腰，低著頭，看上去難受極了。

有一個“中央文革小組”派來的女人發言。這個女人比我媽媽年紀要大，穿著沒有領章和帽徽的草綠色軍裝，胸前戴著一個好大的毛主席像章。她頭發剪得短短的，腰間紮著一根銅頭皮帶，滿臉兇相。她說了譚爺爺和包爺爺許多壞話，我都不太懂。但我聽懂了她說包爺爺去什麼省，參加一個姓何的省委書記的追悼會。這個追悼會召集了好幾萬人參加，是向黨中央和毛主席，向中央文革小組的一次示威。她說包爺爺在追悼會上發言，公然散佈反對文化大革命，仇視群眾運動，希望恢復和鞏固他們這夥人反革命修正主義社會秩序的反動言論。

後面又有幾個人發言。最後發言的是“江南工人造反司令部”的代表。我看了嚇了一跳：這不是聶小琴的爸爸嗎？聶小琴她爸留著兜腮鬍子，穿著一身發黃的舊軍服，胸前戴的是那種黃色的小像章。他大敞著衣領，袖子卷得老高。他說自己年輕時就參加革命，抗日戰爭和解放戰爭中立了很多功，負過幾次傷。說話間，他解開上衣剩下的紐扣，雙手扒開上衣，把傷疤亮了出來。他拍著胸脯，說自己正是因為不願意做包正清的“馴服工具”，一直受他的壓製。三年前，包正清還指使他在政法系統的黑爪牙尚和，把他這個堅定的共產黨員排擠出公安戰線。現在，乘無產階級文化大革命的強勁東風，他要站出來揭發黑省委和省政府的罪行，也要造黑幫把持下的公檢法的反，不達目的，誓不罷休！說著說著，他走到包爺爺面前狠狠地扯了包爺爺幾個耳光！這還不夠，他一邊高呼“揭批黑省委！打倒包正清！”一邊走到包爺爺背後，對著包爺爺的腿彎處猛地踹上一腳。包爺爺站不住，整個人摔倒在地。兩個扯著他胳膊的人都被拉得向前一個踉蹌，松開了手。

臺下的口號聲把我的耳朵都快給震聾了。

我看得清清楚楚：包爺爺頭跌破了，鮮血和豆大的汗珠混在一起，直往下流。他大口地喘著氣，然後費力地擡起頭來。就在他擡頭的時候，……他看到了臺下的我！他看到我，眼睛就盯著我不動了。然後，他的嘴角往上擡了擡，沖著我笑了一下！

我的淚水一下子湧了出來。

小五子驚慌地面對包爺爺送給我的微笑和滿臉淚水的我。他擔心起來，拉著我就走。我低著頭，手被小五子緊緊地拉著，在人群裏見縫就鉆。我們怎麼出了人群，怎麼進了竹林，又是怎麼翻過墻頭，怎麼走到家門口，我都不記得了。腦子裏一片空白。

是小五子幫我敲的門。進了家門，我抱住媽媽便嚎啕大哭！

媽媽把我哄上床躺下，打來一盆溫熱的水，給我擦了臉和脖子，又讓我洗了腳。我迷迷糊糊地睡著了。

半夜醒來，口渴得要命。我爬了起來，聽到開門的聲音，原來是爸爸回來了。他怎麼這麼晚才回家？我去廚房倒了一杯涼白開，一口氣喝下了。回房間的時候，看到爸爸媽媽站在他們的房門口看著我。

我叫了一聲：“爸爸，你回來了？”

爸爸點點頭，把我拉到方桌前，他自己坐下來，輕聲問我：“你看到有人鬥包爺爺了？”

“嗯，”我瞟了一眼媽媽。“就在跟前，就像我和媽媽站得這麼近。聶小琴他爸爸搧包爺爺的耳刮子，還把他踢倒在臺上。……包爺爺滿臉都是血，在試著爬起來的時候看到我了。他，他還對我笑了笑。”

爸爸嘆了一口氣，轉過頭對媽媽說，“這個場景對一個十歲的孩子來說，是夠殘酷的。” “尚和，他們怎麼能這樣對待包省長這樣的老革命？” “這才剛剛開始，更兇險的事情還在後面。”

“爸爸，他們為什麼說包爺爺是黑幫？”

“我也說不清楚。但我堅信他們是錯誤的。”

“聶小琴的爸爸還說，他要揭發，造公檢法的反。他說你是包爺爺的黑爪牙。”

“他已經造反了。他還會幹更壞的事。”

“那我們怎麼辦？”

“第一是不怕。要有信心。邪不壓正。第二要有思想準備。這場災難恐怕沒那麼容易過去。”

媽媽著急了。“尚和，你說清楚，今天你到底遇上了什麼事？”

“我靠邊站了。”爸爸猶豫了好一會兒，才告訴我們，今晚省政法系統開會，由北京來的人宣讀中央文革小組和公安部的檔：江南省公檢法幾個主要幹部停職反省，接受組織審查和群眾的批判和監督。

“要開批鬥會嗎？”媽媽很緊張。

“那是少不了的。所以，象聶文龍那樣的人就神氣起來了。”

“爸爸，陳和平說譚爺爺和包爺爺是黑幫的時候，也很神氣。他說是他爸爸說的。”

爸爸摸摸我的頭，“本來這些事不應該跟你們小孩子說的。可是，躲不過去，還不如早點讓你們知道。進進，社會一亂，不知道會有什麼事情發生在你們頭上。你和小五子要盡快成長起來。這樣我們做父母的也會安心些。”

“嗯，爸爸，馮伯伯也會倒楣嗎？”

“你馮伯伯家庭出身不好，本人又是知識分子。他的境況不會比我好。” 沈默了一會兒，爸爸又說，“他們想整垮我可沒那麼容易。光一個‘黑爪牙’的罪名就能批倒我？聶文龍他也不掂量掂量。這個忘恩負義的狗雜種！”

爸媽都叮囑我，千萬不要在別的小朋友面前為包爺爺辯護。“也就是說，不要同他們爭論包爺爺是不是黑幫。他們愛怎麼說就怎麼說。你聽著就得了。可以回來告訴我們你都聽了些什麼。” “那，我們可以去看看包爺爺嗎？” “現在不能。進進，你都聽到聶文龍說了，現在外面大字報都在說，說我是你包爺爺的‘黑爪牙’。現在我們不能和你包爺爺走得近。否則，不僅對我們不好，對你包爺爺也不好。明白嗎？” “嗯，……明白。”

自打那次批鬥省委黑幫的誓師大會以後，陳和平他們天天都在說包爺爺的壞話。

小五子告訴我，他上中學的三個哥哥分成兩派。大哥他們的老紅衛兵組織屬於“江南雄獅”派；二哥和三哥參加的組織是“工司”派的。“工司”派罵“雄獅”派是“保皇黨”。

“那你是哪一派的？” 我問。小五子說，“我和四哥跟著大哥。”

章阿姨不讓小五子和陳和平玩。她說，陳和平的爸爸最沒有良心，馮伯伯一手把他提拔成法院的庭長，他卻帶頭貼馮伯伯的大字報。現在，滿院子都是大字報。寫到馮伯伯和我爸爸，還有別的當權派名字的地方都打上大紅叉。我們常常在家裏玩，不到院子裏去了。

雖然是放暑假。小五子的哥哥每天還是去學校鬧革命。他哥哥過去玩的東西特別多，有鋼絲槍、彈弓、乒乓球拍、鐵環、毽子、銅板、畫片，還有彈球。小五子說，他哥哥讓他玩這些東西，但是不許他拿出家門。所以，他讓我去他家。

有一天下暴雨，在附近大街上貼標語的馮小布，馮小爾和馮小什都跑回家來了。開始挺好的，他們看我倆踢毽子，笑話我們倆真笨，拿過毽子表演給我們看。不知怎麼的，後來幾個哥哥說起保皇派的事，吵了起來。

一聽堂屋裏氣氛不對，章阿姨從裏屋出來幹涉了。“哎，二子你怎麼回事？說好了在家不許提外面的事。你們想鬧革命的別在家待著！”

“媽，你別動不動就護著小布。”

“五個指頭一隻手，手心手背都是肉。我幹嘛單護著老大？我是聽不慣你說‘江南雄獅’這邊的人都是保皇黨。”

“哎喲，媽，你也有派性啊。” 小什誇張地說。“你知道嗎？‘江南雄獅’的人計劃沖擊我們批鬥省委黑幫的會場。他們不是保皇派是什麼？”

“你胡說！三子，譚書記和包省長都是老黨員老革命，是江南省的黨政最高領導。現在是共產黨坐天下，你們造誰的反？” 章阿姨挺會說。

“誰走資本主義道路我們就造誰的反！我們聽毛主席的，聽中央文革的！” 小爾毫不示弱。

章阿姨氣得渾身發抖。她壓低了嗓門：“那我問問你，你爸爸走資本主義道路了嗎？他秉公執法，把殺人犯，強奸犯，盜劫犯判了刑，送進大牢。老百姓這才能過上安生和太平的日子。為什麼要打倒他？聶文龍挑動江南工人造反司令部的人揪鬥你爸爸和你尚叔叔，他是不是公報私仇？他本是個利用職權強奸犯人家屬的壞分子，臭流氓。你爸和你尚叔叔念他打江山的時候受過傷，輕饒了他。他一轉臉變成什麼工司的司令了。他是什麼東西，你們不知道？”

“個人是個人，組織是組織，不能因為造反派裏混入了一兩個壞人就否定文化大革命！” 小什在一旁給二哥幫腔。

“你們兩個六親不認的東西！人家把刀架到你親老子的脖子上了，你們還在一旁敲鑼打鼓拍巴掌！給我滾！滾出去！”章阿姨把大門打開，拿起他們帶回家來的大字報標語和漿糊桶，一個勁地往外扔。“別回家！找你們流氓聶司令要吃要喝去！”

小爾和小什氣得奪門而出，沖進瓢潑大雨中。

第五章

爸爸“靠邊站”了，整天都待在家裏。三中的兩派學生打派仗，鬧得雞飛狗跳，也顧不上整本校的牛鬼蛇神，暫時沒來揪鬥媽媽。家裏挺平靜的。可是，爸爸媽媽都不像過去那樣了。他們臉上笑容沒了，話也很少。

小五子來我們家說，我們實驗小學的金校長病重，要死了。媽媽聽了難受地點點頭，說她已經知道了。小五子走了以後她問爸爸：“尚和，我們怎麼幫幫金月朦呢？她單身，家在外地，在江安只有我這麼一個同班同學。前一陣子她被批鬥耽誤了看病，剛剛查出來，她現在已經是肺癌晚期了。” “她需要人照顧，是吧？” “說的就是她沒人照顧啊。” “能不能送她回家？” “她請假了，實驗小學造反派頭頭，就是進進原來的班主任宋老師，怎麼也不答應。叫她一邊就地治療，一邊接受群眾的監督和改造。”

爸爸沈默了一會兒。“金月朦人也太老實了吧。其實現在造反派的注意力都集中在整省委幾個主要領導，哪有功夫管小魚小蝦。偷偷跑回老家不就完事了？造反派就是發現她人不在了，也不會為這事專門外調，想去也沒有經費。就是去了，誰又願意把一個要死的人弄回來？” “哎呀，她哪兒敢？再說，她病得幾乎下不了床。你幫著想想辦法吧。” “好。這不難安排。“

媽媽滿臉的悲傷和沈痛中露出一絲笑容。“尚和，你膽子怎麼這麼大？” “膽子不大我能活到今天？老子參加革命的時候還沒有進進這麼大，第一次上戰場，個子還沒有槍高。十幾年裏白刀子進紅刀子出，死人堆裏爬進爬出不知多少回。我的字典裏就沒有害怕這兩個字。”“把金月朦弄回老家，同造反派對著幹，你不需要考慮考慮？”

爸爸眉毛上揚，額頭上幾道皺紋變得很深。“金月朦是壞人嗎？不是。她重病在身，需要親人的照顧，而不是造反派的淩辱。這麼簡單的邏輯，需要花時間考慮嗎？”“知道，知道！我的意思是，這麼多人受沖擊，誰也想不到跑。可你，……事情到了你這兒都變簡單了。”聽了媽媽的話，爸爸若有所思。“我十二三歲就當偵察員，一個人深入敵境，隨時都會有生命危險。包政委囑咐我，‘尚和，三十六計走為上。你身上有敵我雙方的情報，既不能落在敵人手裏，也不能喪命。’他強調，絕境之下，逃，是最勇敢的選擇。其實，何止是當偵察員的我，紅軍時期和抗戰初期，我們遊擊隊一直在逃。”

爸爸的話給我的震動太大了。要是聽別人這麼說，我一定認為這是“反動言論”。可爸爸的勇敢是公認的。他渾身都是傷疤，小時候和爸爸一起洗澡，我常常摸他身上的傷疤，聽他說哪塊是槍傷，哪塊是刀傷，哪塊是取出彈片後留下的。爸爸看到我的表情，笑了笑。“進進，我說錯了。不是逃，叫轉移。你到隔壁找小五子玩去吧。”

媽媽也說，“去吧。馮伯伯和章阿姨心裏都煩。你倆可別鬧。”

小五子也知道他爸媽不開心，所以我們玩的時候，說話聲音都低低的。有時候玩得一高興，嚷嚷起來，一想到馮伯伯和章阿姨心情不好，我倆馬上把自己的嘴捂上。

前兩天章阿姨把小爾和小什的東西扔出去以後，他倆都搬到學校去住了。小布因為是畢業班的，本來就住校。小維在家吃住，可是他總往外面跑，聽到什麼消息都回家告訴他爸媽。小五子說，他四哥是“偵察員”。

“雄獅”派不同意“工司”派把省委和省政府的主要領導人都打倒。也不同意“工司”對“走資派”拳打腳踢，遊街示眾，“坐飛機”，剪“陰陽頭”。兩派都有毛主席的“最高指示”做根據。“雄獅”說“要文鬥不要武鬥”，“工司”說“革命是暴動”。“雄獅”說“要正確處理人民內部矛盾”，“工司”說“要徹底清除反動路線”，“資產階級就在黨內”。

“工司”提出要重點打擊包爺爺。因為中央文革小組點了他的名。但“雄獅”說“群眾的眼睛是雪亮的”，包省長最關心群眾，作風最正派。他屬於人民內部矛盾，屬於毛主席說的需要保護的“大多數”。所以，“工司”說包爺爺在江南省經營多年，勢力最大。不打倒他，文化大革命運動在江南省就無法深入開展。“工司”要在他們的根據地省農機廠開一個包爺爺的專場批鬥會。這些都是小五子告訴我的。我真佩服他，別看他平時話不多，卻能把這麼復雜的事情講得這麼清楚。

九月底的一個傍晚，天上堆起厚厚的烏雲。天熱得邪乎。

我們家的廚房裏生著煤爐，只有一扇小小的窗戶，像個蒸籠。夏天我們通常吃食堂。爸爸說，“進進，你還是去食堂跑一趟吧，家裏沒法做飯。” 我答應一聲，從媽媽手裏接過飯菜票，端著大鋼盅鍋向食堂跑去。帶蓋的大鍋裏有兩個鋁製飯盒，是裝菜用的，跑起來“哐當，哐當”響。

食堂裏悶熱得令人壓抑。排隊買飯菜的人身上的汗味和蒸汽中的菜味，還有其他怪味混在一起。幾個大人抽煙，他們吐出來的煙霧像是在空中懸住不動，過了好久才慢慢散開。沒人寒暄和聊天，每個人都露出煩躁不安的樣子，好像隨時都會吵架罵人。我覺得胸口發悶，眼睛看不清。買了米飯和一葷兩素三個菜以後，匆匆忙忙逃出擁擠的食堂。

吃飯的時候，爸爸冷不丁冒出一句，“這種天氣，最容易出事了。” 我沒敢問他這話是什麼意思。

飯後，媽媽不讓我出去。我安不下心來讀書，不時地往窗外看。烏雲在月亮下面急匆匆地滑過，有大塊的，也有小塊的。開頭還能看見前院地面上的月色忽明忽暗，雲影不時一掃而過。後來月亮完全被烏雲遮蓋住。又過了一些時候，雲層變得越來越厚。滚滚的黑雲壓了下來，掠過前面那棟宿舍樓，像是水漫過大壩。黑色的雲朵你追我趕地向我們屋後的人民公園方向湧去，就像亂哄哄的人群趕著去開批鬥大會。遠方傳來風神秘的呼嘯聲。

不到十點鐘，窗外電閃雷鳴，豆大的雨珠落下，把屋頂打得劈裏啪啦的。媽媽進屋把我的窗子關上，叮囑我早點上床睡覺。

半夜裏，我被媽媽叫醒。“進進，醒醒。媽媽有話要跟你說。” 她把我拉著坐了起來。“哎，你醒過來了嗎？” 她又輕輕地拍了拍我的臉。我揉揉眼睛，點了點頭。“嗯，醒了。天還沒亮吧？”

媽媽看了看表，“還早，差一刻一點。進進，你聽好了。我和爸爸有急事要出去一趟。外面大桌上的紗罩裏有饅頭和鹹菜。你自己吃早飯。” “現在出去？你們去哪兒？” “有個阿姨情況不好，需要找人照顧她。” “噢，那你們去吧。”

媽媽遲疑了一會兒，站起來，又坐下了。“進進，我們走的事你跟誰也別說，知道嗎？造反派盯著哩。” “我知道。我懂，我不會說。” “那就好。明天上午如果我們回不來，你照樣去小五子家玩。但是，不要跟小五子和他家其他人說我們不在家。不管誰問，你都說爸爸媽媽在家裏寫檢查。能做到嗎？” 我不明白為什麼連馮伯伯和章阿姨都不能說。不過，看到媽媽擔心和焦急的樣子，我點點頭，“能！”

媽媽松了口氣。她抱住我，“好兒子，對不起，讓你這麼小就擔驚受怕的。”

“媽媽，你們走吧。我什麼都不怕。”

早晨，我一個人吃了早飯以後，就和平常一樣去找小五子玩。玩得高興，連爸爸媽媽不在家的事都忘了。直到章阿姨問我要不要在他家吃飯，我才離開。

剛到家門口，爸爸就把門打開了，他還向我身後的什麼人招了招手。我進門後才想起來他們晚上出門的事。“媽媽呢？”我問。

“她，暫時……沒回來。進進，你去食堂，還是買三個人的飯菜。” 我一聽就明白。“好的。我懂。” 爸爸笑著拍了拍我的腦袋。

我們家晚飯有時會自己做，但中午的飯菜通常都到食堂去買。我們家屬大院的食堂辦得比別的單位要好。因為菜市供應不好，而我們食堂直接從勞改農場進蔬菜和肉類，所以幾乎家家都從食堂買飯菜。除非工資低，生活特別困難的家庭，比如蔣貴花家，買不起食堂的飯菜才自己做。

排隊買飯的時候，我聽人們交頭接耳，神神秘秘地，不知談論什麼大事。隱隱約約地聽到，“……不會吧？怎麼可能？”“我看還不是他們把人打死了，囫圇埋在哪兒了。”

聽不出個所以然來，我買了飯菜就回家了。剛到籬笆院牆外，就看到小五子向我招手，示意我停下。他飛快地跑來。“進進，你聽說了嗎？你包爺爺不見了。” 他小聲急促地說。

“什麼叫不見了？你瞎說什麼？”

“哎呀，小聲點兒。” 他湊到我的耳朵跟前。“我爸媽不讓我和小維議論這事。你聽我講，昨晚在省農機廠批鬥包省長。聶小琴他爸爸帶頭，把包老頭打得當場吐血，暈了過去。後來下起大雨，開會的人散了，造反派把昏死在地上的包老頭拖到會場旁邊的一間屋裏。今天農機廠那邊的人進城說，包正清不見了，畏罪潛逃。”

我聽得暈暈乎乎的，覺得不可思議。原來食堂裏面人們議論的是這麼一件大事。

“那，……後來呢？”

“哎呀，什麼後來，哪有後來？行了，我就告訴你這件事。你快回家吧。你爸媽等著吃飯哩。”

我神思恍惚地回到家，把飯菜放到桌上。

“怎麼啦，進進，遇到什麼事了？”爸爸問。

我把食堂裏人們沒頭沒腦的議論和小五子剛剛說的話都告訴了爸爸。爸爸幫我盛了飯，又夾了一塊紅燒肉放在我的碗裏。當然，他聽得很仔細。

“進進，如果這不是謠言的話，我覺得，你包爺爺可能會找個熟識的醫生治療。不是說他被打得吐血嗎？那一定是舊傷復發。他身體裏還有打鬼子時留下的子彈頭。”

“包爺爺，他，會死嗎？”

“聶文龍蓄意打死你包爺爺的可能性不大。包爺爺的問題還沒有定性，中央文革也很重視他的案子。怎麼能隨便打死呢？”

“那他，……到哪兒去了？”

“這不是大家都想知道的嗎？總會知道的。我和你一樣擔心包爺爺，可是我們現在幫不了他。我們什麼也做不了。”

也許是家裏只有我們父子倆，爸爸很耐心地和我邊吃邊談。我心裏有些疑問，可是不敢說出來。

“進進，你是不是有問題要問？說吧，沒關係。”

“你和媽媽昨晚……”

“哦，你擔心你媽媽？告訴你也沒關係。你們金校長和你媽媽是好朋友。你知道的。金校長患了肺癌，查出來已經是晚期了。我們找了一個司機，送她回外地家裏。這樣她至少有人護理。你媽媽決定留下來陪她兩天。這件事，你要保密。誰也不要告訴。”

原來是這樣。我松了一口氣。唉，金校長真可憐。

“爸爸，我答應媽媽了，不會對任何人說的，連小五子都不告訴。”

“你媽跟你說了？那就好。從現在起，就把這件事給忘掉。好吧？”

“嗯。”

媽媽又過了兩天才回來。她很晚到家，早晨吃早飯的時候我才看到她。她說是搭便車回來的。我問媽媽金校長的病會好嗎？她驚訝地看了看爸爸。爸爸點了點頭。媽媽才說：“是肺癌晚期了，恐怕……。至少，現在她有親人在身邊。” 我聽了很難受。

關於包爺爺的傳聞不斷。有一個說法是聶文龍帶人打死了包爺爺，在半夜偷偷埋掉了他。另一個說法是，包爺爺被人救走了。現在人在北京。周總理親自過問，讓他住進北京 301 醫院的高幹病房。

公安廳金叔叔來我家，說這事很奇怪。包爺爺不可能去了北京，因為上面已經責成市局迅速查明此事。可現在是造反派當家，他們不懂業務，根本不知道怎麼查。

“聶文龍一定會查的。他當過偵察員，有能力。”爸爸說。

“可是有人說，就是聶文龍公報私仇，打死了包正清。”

“是他打死的，他會查。不是他打死的，他也會查。總之，他需要給各方面一個交代。證明自己沒打死人。你說是不是？”

“是。老尚，你分析得對。”

市公安局一個科長到我們家，客氣地叫我爸爸“尚廳長”，說是“奉命排查”有可能把包爺爺人或屍體轉移走的人。

“王科長，你們排查到我有點莫名其妙。我又沒參加批鬥包正清的大會。我怎麼能知道他會被人打傷或者打死，然後及時跑去轉移受傷的人或者屍體？”

“尚廳長，你不要誤會。隔壁馮院長家我剛去過。你們畢竟是他的直接下屬。現在活不見人死不見屍，總要查一查的嘛。我是奉命辦事。”

“查他的下屬也有道理。可是如果我想把他弄走，幹嘛要等到他被押到那麼大老遠的省農機廠，又像傳聞所說昏死過去了才去弄？我在單位裏靠邊站了，泥菩薩過江，自身難保，哪還有那個心思去救別人？再說，我一直受造反派的監視，就算有救老領導的心，也無力啊。”

王科長給我爸爸說的笑了起來。“沒人說一定是你把包正清弄走了。排查嘛。老尚，你就告訴我，9 月 28 日晚你人在哪兒，在幹什麼。這事兒就算過去了。”

“我能幹嘛？我在家寫檢查。”

“有證人嗎？”

“有啊。我老婆和兒子。也可以說，公安廳的造反派，這個公檢法大院所有的人都能作證：證明我沒出大院。”

王科長又笑著豎起大拇指。“我都跟他們說了，尚和，尚廳長是什麼人？他就是做了什麼事，也一定做得滴水不漏。”

“哎呀，王科長，你這是誇我，還是要給我安一個莫須有的罪名？”

他倆都哈哈大笑。爸爸說，“我給你們市局幫個忙吧。你們還是去請工司的聶司令出馬。我和聶司令同事多年。或者說，他曾經是我手下得力的部下。偵察、辦案，水準一流。他整我歸整我，運動嘛。公道話我還是得說。老實說，我也特別希望早日知道包正清的下落。他畢竟是我的老上級嘛。”

“是。我也聽說老聶有兩下子。哎，我跟老領導透露一下：聶文龍自己到市局，拍著胸脯說，這個案子他一定會搞得水落石出。”

“那就好。他能出馬，不難破案。”

第六章

省長在批鬥會上被打到吐血，昏迷，然後不見了。這可是一件大事。我不管是到食堂買飯，還是和小五子在院裏玩，都能聽到人們的議論。

陳和平明知道我們不愛理他，還是沒臉沒皮地往我們身邊湊。陳和平的爸爸當上了造反派的小頭目，到處貼大字報，經常組織召開批鬥大會，積極得很。我們家和小五子家院子竹籬笆墻上的大字報就是陳胖子帶人貼的。

“你們知道嗎？北京公安部來人了，要發動人民群眾查明走資派包正清的下落！” 陳和平知道說這話能引起我們注意。我輕蔑地沖他“哼”了一聲。“怎麼什麼事你都知道？” “不信拉倒！昨晚聶叔叔召集我們公檢法部門的造反派組織開會了。我爸爸說的。這件事已經報到中央去了。中央文革小組特別重視。因為包正清在萬人大會上公開發表反對文化大革命的言論。他是整個反動路線的代言人！”

陳和平越說越得意。“我爸爸說，一定有人幫助包正清逃跑。找到包正清的下落，就是文化大革命的功臣！“

正說著，不遠處傳來陳胖子的聲音。“和平，你媽在家蒸包子哩。快回家趁熱吃兩個。” “哎！” 陳和平一聽有吃的，也不同我們說話了，拔腿就跑。他爸爸一搖一晃地向我們走來。他笑瞇瞇地伸手摸小五子的頭。小五子頭一偏躲開了。陳胖子也不生氣，照樣彎著腰撅著大屁股，兩只手撐在膝蓋上。“進進，我問你，9 月 28 號，也就是四天前的晚上，你爸爸媽媽上哪兒去了？”“在家寫檢查。”“嗯，有意思。在家就在家，你還要說寫檢查。是你爸爸教你這麼說的吧？”“沒有。這話有什麼難的，我幹嘛要我爸爸教？”我為自己的失言很懊惱。

陳胖子的小眼睛眨了兩下，瞇得更細了。“進進，你爸爸，你們全家和包正清的關係不同尋常啊。你要站在革命群眾一邊，和包正清劃清界限。你再跟我說一遍，四天前，也就是下暴雨的那天夜裏，你爸爸到哪兒去了？”“在家！”“這次怎麼不說寫檢查了？”他一臉壞笑。“晚上他們寫檢查。這次你問的是夜裏。”“是嗎？不虧是尚和的兒子。真夠聰明的。”陳胖子不笑了，兩個嘴角掛了下來，露出兇相。“第二天呢？他們上哪兒去了？”“在家！”“胡說！有人在別的地方看到他們了！”我心裏馬上“咯噔”一下。

小五子一直想幫我的忙。他看我臉色變了，馬上說：“下暴雨的第二天上午，我看到尚叔叔了。”哦？難道那天爸爸開門後是跟小五子打招呼？不會吧？這個問題在我心裏過了一遍。還沒有等到我緩過氣來，陳胖子再次惡狠狠地發問：“但是你媽媽不在家，是不是？”在他的逼問下，我心虛了。“我媽媽，可能是…… 去幫助金校長。金校長病很重，要死了。”

話一出口，我馬上後悔了。陳胖子很可能是在詐我，我為什麼不能堅持說媽媽在家呢？可是，他說有人在外面看到媽媽，我怎麼知道……。陳胖子升直了腰，仰起他下邊寬上面窄的腦袋，瞇著眼睛想了一會兒，一轉身走了。

我和小五子呆呆地站在原地。直到陳胖子的身影完全消失。

我在一片茫然中清醒過來，猛然向家裏跑去。小五子在後面追了幾步，然後停下來叫。“進進，進進！你去哪兒？”

我一口氣跑回家，沖進自己的房間，趴在床上哭了起來。

“又發生什麼事了？”媽媽走到我跟前，撫摸著我的背，關切地問。“有什麼事告訴爸爸媽媽。”爸爸也聞聲趕來。“怎麼啦，進進？”

我好不容易控製住自己，把陳胖子說的話，逼問的問題說了一遍。爸爸媽媽臉色變得沈重起來。“真無恥！陳胖子這個下流胚，居然打起小孩子的主意。” “爸爸，我說錯話了，是吧？” “沒有！你沒有說錯。” “可是，我洩露了媽媽幫助金校長的秘密。” “你媽媽幫助老同學，天經地義的事。” “他們會不會……？” “不管以後發生什麼事，都不會跟今天你回答陳胖子的問題有關係。你不要有任何心理負擔。” 看到我點頭，爸爸才放心地拍了拍媽媽的肩膀。媽媽從床沿站起身來。她輕輕地嘆了一口氣。

中午去食堂買飯，我排隊的時候渾身不自在，又心不在焉地給錯了飯菜票。我自己也不明白為什麼這麼緊張，害怕什麼。就好像四周有許多眼睛在盯著自己的一舉一動。下午我把自己關在房間裏，哪兒也沒去。陳和平爸爸的那張掛滿肥肉的臉，那一雙眨巴眨巴的小眼睛，一會兒笑眯眯，一會兒惡狠狠地出現在我的眼前，怎麼也擺脫不了。媽媽擔心地過來看了我好幾次。我聽到爸爸和媽媽在小聲說著什麼，爸爸咬牙切齒地罵，“這個狗娘養的陳胖子！”

傍晚，小五子火急火燎地跑到我們家來。“進進，進進，快去看！” “又怎麼了？” 媽媽關切地問。小五子結結巴巴地說，“廁，廁所裏，有反標！” “什麼內容？誰發現的？” 爸爸聞聲走了出來。“不知道寫了什麼。我光聽他們說，是陳和平發現的，擦屁股的紙上有反動標語！” “紙還在糞池裏嗎？” “嗯，” 小五子點點頭，“大家都去看了。陳和平讓韓衛東去叫造反派，再打電話到派出所，自己一直在那裏守著。” “真不愧是陳庭長的兒子。” 爸爸看了看我，說，“進進，你跟小五子去看看吧。回來向我匯報。注意，看歸看，別亂說話。”

整個大院裏，只有我和小五子家有衛生間，但是我們放學以後在院子裏同其他小朋友玩，尿急了還是上公共廁所方便。

這個公共廁所靠後墻有 8 個水泥砌的蹲坑，前面沿墻有一長條水泥砌的小便池。沒有沖水的裝置，每星期掏糞工人來把糞便裝進車裏運走，然後沖洗一下小便池和大便坑。就連在北京，大多數人也都是上這種廁所。北京有個掏糞工人叫時傳祥，是全國著名的勞動模範，因為和劉少奇握過手，現在也被打倒了。

我們到了廁所，只見外面圍了不少人。小五子拉著我的手，擠過人群，鉆進了廁所。忽然，小五子的頭被人“啪”地打了一下。一看。是他四哥。小維哥哥攔住我和小五子，“別再往前了。小心弄你一身屎！” 我們這才看到，有一個帶紅袖章的造反派正在用一片薄木板把糞池裏的東西往外撈，弄得臭氣熏天。陳和平伸長脖子盯著薄板子上的大便和大便上的紙，嘴裏不停地輕輕說，“小心，小心，別弄壞了。” 我突然想到陳和平看到他家剛出籠的包子可能也是這個樣子，禁不住笑了起來。圍觀的人也許早就憋住沒敢笑，聽到我的笑聲，大家都笑了。

“嚴肅點！” 陳和平裝成大人的樣子。

有人問，“和平，你怎麼不把你爸爸叫來？” 他有意無意地向我這兒瞟了一眼，得意地說，“他到我們實驗小學搞調查去了，還沒有回來。” 我的頭皮不由地一陣發緊。

造反派把帶著大便的紙放在地上。陳和平得意地說，“大家看看，這不是反動標語是什麼？” 圍觀的人都伸長了脖子。那張紙上分明寫著“反對毛澤東思想”幾個毛筆字。“思想”的“想”字只有大半邊。我大吃一驚，這還了得！

我想在場的每一個人都和我一樣，被這個重大現行反革命事件驚呆了。除了後面的人推開前排人時腳步的移動，全場鴉雀無聲。可能不止我一個人想到，前些日子，我們實驗小學就有一個五年級的小學生喊錯口號被抓，一家人陪鬥，個個都被打得頭破血流。

“閃開，閃開！” 廁所外傳來威嚴的聲音。兩個穿著公安製服的叔叔撥開人群走了進來。其中一個人手裏拿著相機。另一個大聲嚷嚷：“回去吧，都回去！沒你們什麼事了！今天上過廁所的，仔細回憶一下上廁所的時間，寫一份書面材料。特別需要說明在廁所看見誰了，在大便還是小便，站在或者蹲在什麼位置。” 他又轉向那個造反派和陳和平，氣憤地說。“把紙撈上來是誰的主意？啊！不知道要保護現場嗎？” 他倆嚇壞了，互相用手指著對方，異口同聲地說，“是他！” “從哪個便坑撈上來的？” “左邊第三個。” 陳和平搶著說，“是我最先發現的！”

我們回家的路上誰也沒說話。

我進了家馬上關上門。爸爸媽媽坐在大方桌兩邊，好像一直在等著我回來匯報。

可是我覺得應該首先告訴他們，陳和平的爸爸去實驗小學搞調查了。這應該和他詐我說出媽媽幫助金校長的事有關係。

“陳胖子太想立功了。” 爸爸的表情很平靜。“是禍躲不過。這事關係不大。進進，你還是跟我們說說廁所反標的事吧。”

我於是把經過從頭到尾地說了一遍。

“尚和，你怎麼看？” 媽媽小心翼翼地問。

“你說那個反動標語不像是寫在一整頁紙上的？” 爸爸問我。我搖搖頭，“沒有信紙那麼大。兩邊整齊，兩邊不整齊，像是從大紙上裁下來的。” “我再問你一個關鍵問題：你剛剛說那幾個字是毛筆寫的，有多大一個？寫得好嗎？小學生能寫那麼好嗎？” “那些字有⋯⋯ 乒乓球那麼大。字寫得好，比我們宋老師寫得都好。”爸爸點點頭，意味深長地看了媽媽一眼，然後跟我說，“反動標語是誰寫的，這需要由公安部門經過調查，做出鑒定。這件事關係重大，小孩子千萬不要議論。你上次被陳胖子追問，說漏了嘴，心裏一定非常後悔，是不是？” 我沈重地點了點頭。“那就接受教訓！公安部門有一套辦法破案。你可不要自作聰明亂發議論！聽到了嗎？”

“嗯，知道。”

“今晚到食堂買菜。進進，不管是什麼葷菜都買兩份。”爸爸臉上露出笑容。他好像很久沒有這麼舒心了。

江安市內發生的案件一定是市公安局管，就像包爺爺“失蹤案”歸市局管一樣。我們大院發現反標，市局非常重視，連夜召開了會議。第二天上午，市局一個工作組來到我們大院，他們在食堂辦公。一張桌子那裏收取昨天用過大院男廁所的所有人的書面報告：去過廁所的次數、時間，每一次看到的人（包括剛剛走出廁所的人）以及他們的位置。另外幾張桌子邊各有一個公安人員和一個戴紅袖章的造反派，大院裏的人輪流在他們的監視下用鋼筆和毛筆寫幾行字。每個人都要帶上自己最近寫過的東西：作業、筆記、思想匯報等等。

進食堂前有執勤的造反派宣佈：大家態度要嚴肅，不許交頭接耳。誰敢啊？我看大多數人的臉上都露出恐慌和擔憂，看人都不用正眼，熟人之間連招呼都不打。飯廳裏的空氣好像變得很凝重。我們小孩和小孩也不說話，看到認識的叔叔阿姨也不叫了。

這一天，整個大院裏的氣氛和平常都不一樣。爸爸說，這件事搞得大家“惶惶不可終日”。他還說，大院裏外人進不來，這麼排查，結果很快就會出來。

第二天傍晚，小五子在我們家籬笆墻外招手把我叫過去，“進進，寫反標的人查出來了。你猜是誰？” 我搖了搖頭。“是陳和平他爸，陳-胖-子！”小五子壓低嗓門，一個字一個字說出來。我大吃一驚，“他為什麼要寫反動標語？”小五子的鼻子和嘴巴動了一下，“那誰知道？反正他這次跑不掉了。”

第三天上午我和小五子在院裏滾鐵環，聽到警笛聲從大門口響起，立刻收起鐵環跑了過去。只見一輛公安吉普和一輛黑色沒有窗戶的鐵皮車開進大院。小孩子們跟著公安的兩輛車跑。

車子停在宿舍樓下。一會兒，我們看見陳胖子戴著手銬，低著頭，被員警押著走出大門，進了囚車。警笛聲再次響起，車開走了。我看了看陳和平家的窗口，什麼動靜也沒有。

陳和平再也不出來玩了。韓衛東的爸爸當了省法院造反派的頭頭。原先跟著陳和平屁股後面轉的韓衛東成了散佈小道消息的人。

我現在已經習慣聽別人稱呼包爺爺“包正清”了，但自己不願意這麼叫包爺爺。我讓小五子問韓衛東，“你爸爸現在不是當頭兒了嗎？那你知不知道聶小琴她爸把包正清打死了，又偷偷埋起來的事？”

“包正清的事我怎麼能不知道？” 韓衛東得意地揚起下巴，“我告訴你們一個秘密：包正清是畏罪自殺！”

“你怎麼也和陳和平一樣，張口就胡說！” 我忍不住罵他。

“不信拉倒。公安部都來人了。一定要查清這件事。聶叔叔也著急。因為人家都說是他打死了人。聶叔叔帶著他的人到處查。結果發現他跳江自殺了。”

“不會吧。他不是被打昏了，還吐了好多血嗎？我爸爸說，一定是內臟被打壞了。他身上還有打鬼子時留下的彈頭沒取出來哩。他受了重傷，怎麼可能跑到離農機廠十幾公里遠的江邊去？”我根本不相信他的鬼話。

“你就瞎吹吧。”小五子也幫腔。

韓衛東撓撓腦袋，喃喃地說：“我哪裏知道他是怎麼去的。他投江自殺的事，我是聽我爸跟我媽說的。”

我沒心思滾鐵環了。跑回家跟我爸爸報告這個消息。“爸爸，韓衛東他爸爸是胡說，是不是？”

“他們撈出屍體來了嗎？”爸爸問。

“喲，這個我沒問。”

“沒見屍體就不能算結案。唉，……當然，投江自殺的可能性還是存在的。”

“包爺爺，……他，會死嗎？”

“只要屍體沒找到，就不能說你包爺爺死了。你放心，你包爺爺是個很堅強的人。”

第七章

小維哥哥打聽來的消息，證明韓衛東沒有瞎吹。省農機廠有輛解放牌卡車不見了。開始車隊沒有報告，因為自打工人造反，批判起走資本主義道路當權派的“管、卡、壓”之後，工廠管理就混亂起來，駕駛員私自把廠裏的車開走，搬家啦，幫朋友運沙發啦，給家鄉生產大隊送化肥啦，都是常有的事。兩天以後，這車還沒有回廠，問遍車隊的師傅，誰也沒用那輛車。他們這才慌了神，報告工廠保衛科。

聶文龍一聽，就把失蹤的車和失蹤的包爺爺聯系起來了。他親自跑到市公安局，找到專案組，要求動用公安部門的力量尋找那輛失蹤的解放牌卡車。他說，“找到車，就一定能找到包正清。”

市公安局給本市郊區各區鎮和人民公社以及周邊的縣市都發了通知。幾天後有人來報告：在長江邊平山公社一個廢棄的采沙場，發現了要找的解放牌卡車。市局派去調查的刑偵人員在駕駛室座位上發現了血跡，經檢測和包爺爺的血型相同。從卡車駕駛室到江邊有比較清晰的皮鞋鞋印。是上海牌皮鞋。押送包爺爺的造反派中有人回憶，開批鬥會那天包爺爺穿的正是上海牌皮鞋，而且鞋印尺寸也和包爺爺的其他鞋子一樣。

“爸爸，包爺爺跳江了，是嗎？” 我含著眼淚問。

爸爸正在伏案寫檢查。他嘆了一口氣，放下筆，用手捂住了眼睛。過了一會兒他才說話。“進進，不是說沒找到屍體嗎？

只要沒見到屍體，原則上不能下結論。我們就有理由相信，他還活著。”

市公安局因聶文龍涉嫌毒打包正清，導致包正清自殺，扣留了聶文龍。“工司”的人不幹了。他們說，包正清是自絕於人民，別說人不是我們打死的，就算是，那也是出於革命義憤。“工司”造反派包圍了市公安局，並發動絕食。幾十個人頭上纏著白布條，上面寫著“革命無罪”，“造反有理”，“還我聶司令”，在市公安局大門前坐了一地。還有人到北京去請願。

正趕上北京召開“向資產階級反動路線發動總攻”的誓師大會。張春橋宣讀中央軍委《緊急通知》，要給受舊黨委，工作組迫害的同志平反，恢復名譽。市公安局請示了公安部以後，釋放了聶文龍。工人造反司令部在人民公園廣場開大會，敲鑼打鼓喊口號，歡迎“受迫害的”聶文龍同志回到革命造反派隊伍。

隨著北京公開批鬥原國家主席劉少奇和原中央書記處總書記鄧小平，全國各地掀起揪鬥走資本主義道路的當權派的高潮。在這種情況下，包爺爺就算是被當場打死，行兇的造反派也是“無罪”和“有理”的了。地富反壞右“五類分子”和“黑幫分子”、“走資派”被打死的多了，誰也不會把打死人當回事。小五子跟我說，韓衛東現在成了大院孩子的頭，帶著十來個小學生沿著大街逛蕩。他們看到掛牌子示眾的“牛鬼蛇神”就撿起碎磚瓦片砸過去，把那些人打得頭破血流，然後哈哈大笑。

現在是韓衛東的爸爸帶著造反派來，把大字報貼到我家籬笆墻的裏外兩面。籬笆墻上攀爬的花兒早就謝了。他們扯下藤子，把大字報糊上去。風一吹，紙破了，發出“嗚嗚”的哭喪的聲音。他們又來人再貼上一層新的大字報和標語。爸爸打開窗子，冷眼看著那些戴著紅袖章的人。他們都是爸爸過去的下屬和同事，兩個月前在院子裏看到爸爸時，誰都會滿臉堆笑地打招呼，問好。

我爸爸身材比較高大，腰板挺直，走路帶著風。他臉部消瘦，有棱有角，臉上表情經常是嚴肅的，說話簡短、果斷。有一次我聽媽媽和院子裏一個阿姨聊天說起我爸爸。阿姨說，“省市兩級領導裏面過去帶兵打仗的多了，可是誰也不像尚廳長那樣不怒而威的。他眼光中好像帶著能量，能把人看透看穿。他會笑嗎？在家也是這樣？” 媽媽笑著回答，“喲，老尚還挺招人注意的嘛。他呀，參加紅軍的時候才八九歲，正是性格形成的時候。革命戰爭時期做保衛工作和偵察員的日子比帶兵打仗多。解放後轉業到地方也一直幹公安。所以，他的外表都職業化了。” 那個阿姨說，“蕭老師，你並沒有回答我的問題。”她轉過臉問我，“進進，你爸爸在家兇嗎？”我說，“不兇。我爸爸聽我媽媽的。”那個阿姨哈哈大笑。“小孩子無假話。我信。英雄難過美人關嘛。“

所有人都知道爸爸從紅軍時期起就出生入死屢立戰功，對他十分敬畏。院子裏的小朋友都知道爸爸過去打仗特別勇敢。就連特別淘氣和調皮的小朋友，看到爸爸也會乖起來。我從窗子裏往外看。那些貼大字報的人好像貼了就走，不往我們家這邊看。因為爸爸站在窗口盯著他們哩。

造反派可不怕馮伯伯。馮伯伯瘦瘦的，頭發掉了好多，戴了一副厚厚的圓眼鏡，黑色中山裝的領口總是扣上的，看上去就是一個有學問的人。他走路步子不大，背有些駝，總是皺著眉頭苦著臉，像是在思考難題。聽到有人向他打招呼，他會馬上換上笑臉，點頭答應。過去，大家對這種有修養，有水準的領導幹部是尊重的。可是，一旦他成了“走資派”，又被說成是“地主階級的孝子賢孫”，還有什麼“三反分子”，“漏網右派”，他的模樣看上去就像受氣包和窩囊廢了。

那天我和小五子在他家院子裏玩彈球，韓衛東的爸爸和幾個戴著紅袖章的造反派大搖大擺地到了他家，“咣，咣，咣”地捶門。章阿姨剛把門拉開一條縫，其中一個大漢猛地把門推開，大叫一聲：“馮國良，出來！”

馮伯伯走到門口，一句“請問，有什麼……” 還沒說完。那幾個人一把將他拉了過去，推出了門，他鼻樑上的眼鏡都掉在地上了。他們就這麼推推搡搡地把馮伯伯弄走了。

章阿姨跟在後面撿起馮伯伯那副摔碎的眼鏡，一屁股坐在門口地上，半天才哭出聲來：“老馮啊，可憐你審了一輩子的案啊……。”

我和小五子慢慢地挪著步子來到她跟前，想把她扶起來，卻哪裏能扶得動？章阿姨一把摟過小五子，還是哭著喊那一句，“老馮啊，可憐你審了一輩子的案啊……。”

我緊張地掉頭就跑。回到家裏告訴媽媽，馮伯伯被人抓走了。媽媽爸爸都到馮伯伯家這邊來了。他們拉起章阿姨，把她攙到屋裏，在椅子上坐下。爸爸安慰她：“嫂子，沒事，不過是開一場批鬥會。” “怎麼會沒事兒？他們連省長都能給打死了，打死個院長還不比宰頭羊還容易？” “嫂子，本單位的批鬥會不至於那麼兇殘。”

媽媽說，“馮嫂子，要我看，得把能叫回來的兒子都叫回來。你五個兒子往外一站，看他們誰敢使横？”

“馮小克，” 媽媽喊。旁邊的小五子立刻答應，“在這兒啦。” “去找你四哥，然後跟他一道去找小布，小爾，小什，說家裏出事了，讓他們回來！”

“哎，” 小五子答應著，看了看我。

“進進就不去了，跟我在這兒陪你媽。你一個人去行嗎？”

“行！”小五子轉身就跑。

小五子把幾個哥哥都找到了。後來聽他說，他們往家走到半道上的時候，大哥說不行，不能回家，得去省人民法院的批鬥會場，去晚了爸爸被誰打了都不知道。他讓小維和小克回家，小哥倆說什麼也不願意。於是，弟兄五個齊刷刷地來到批鬥會場，其中三個還帶著紅袖章。他們鐵青著臉，硬是站在前面臺下。果然，馮伯伯的臉上已經被打得青一塊紫一塊了。但是，看到馮伯伯的五個兒子近在咫尺，再沒有人敢當著他們的面動粗了。韓衛東的爸爸看到這種情況特別惱火，用手指著馮小布哥幾個質問，“馮小布、馮小什，你們來這兒幹什麼？想記變天賬嗎？” 馮小布說，“韓科長，我們來受受教育不行嗎？” 馮小什比他哥哥還厲害，他說，“老韓，我們也是紅衛兵。我們是來學習怎麼鬥人的。等批鬥完院長，就該鬥科長、庭長了。到時候，我們有樣學樣啊。”

批鬥會開不下去，草草收場了。

自從那次批鬥會以後，小五子的幾個哥哥都搬回家住了。可是沒幾天，二哥和大哥吵架，氣得又搬回學校去了。小五子說，二哥認為不能因為革命革到自己家就打退堂鼓。我問，“那你三哥呢？他不是和二哥一夥兒的嗎？” 小五子說，他三哥沒走，也沒說話。連他媽都不說話了，只是哭。

馮家五個兒子到批鬥會“鬧事”，一下子傳遍了我們大院，連外面的人都在傳。有人悄悄說，“還是有兒子好。難怪鄉下人吵架，總是有兒子，兒子多的人家氣粗。” 有人卻說，“都這樣還行？文化大革命還搞不搞？我看對馮國良夫婦就得實行無產階級專政！”

省公安廳的那個金叔叔又來了我們家一次，悄悄地同爸爸說了一些話就走了。爸爸和媽媽晚飯後一直在他們房裏說話。媽媽只是在提醒我該睡覺時，才到我的房間來。她看著我躺下，幫我把電燈拉滅了，門關上。這段時間裏除了催我上床，媽媽什麼話也沒說。

半夜裏，我醒來。黑暗中，發現媽媽坐在我的床沿，好像在哭。

“媽媽，你怎麼啦？”

“沒什麼，過來看看你。”

“你們要出門嗎？”

“不走。我們哪兒也不去。”

沈默了很久。媽媽問我，“進進，記得我們在廚房墻角發現的老鼠洞嗎？”“記得。我們用碎磚頭堵住了。” “我跟你說：冬天外面什麼也沒有。老鼠只能吃秋天裏收集到洞裏的食物。” “嗯。你還說冬天很長。它們只能一點兒一點兒地吃。這樣才能熬到春天。” “記住就好。”

又過了一會兒，媽媽又說：“是啊，這個冬天會更長。可能要在大家都以為天氣再也暖和不起來的時候，冰才會化，小草才會從地底下鈷出來。……進進，你要記住我的話：不管冬天有多長，春天一定會回來的。” “我知道。我，我是說，我記住了。媽媽，你怎麼了？我害怕。”

媽媽俯身抱住我，哭了。“不怕，進進你不要怕。媽媽也不要怕。就當這是一場夢，一場噩夢。等到天亮了，夢自然就會醒來。進進，爸爸媽媽對不起你，讓你這麼小就跟著我們擔驚受怕，還不知道會吃多少苦頭，受多少磨難。” “媽媽，你不要難過，我不怕了。有爸爸和你，我什麼都不怕。” “那，進進你答應我，爸爸媽媽不在你身邊的時候也不怕，要勇敢，要堅強，好嗎？” “嗯，媽媽，我會像爸爸那樣勇敢的。” “好孩子，我的好孩子。”

過了很久，媽媽放下我。“再睡一會兒安穩覺吧。我要過去陪爸爸了。”

第二天早晨，一切都和往常一樣。我起床，洗漱，坐到大方桌前和爸爸媽媽一起吃早飯。爸爸媽媽又說起輕松地話題。“聽說勞改犯農場昨天殺了一隻豬。中午大院食堂裏一定會有進進最喜歡吃的紅燒獅子頭賣。” 媽媽說，“進進，你的夾克衫兜兜裏裝著飯菜票。以後買什麼菜你自己決定。” 我一摸，真的，抽屜裏的飯菜票好像都放到我的兜裏了。

有人敲門。

爸爸說，“請進。大門沒上閂。”

進來三個穿製服的公安，還有一個員警留在門外。我往外瞟了一眼，哇，外面好多人，都帶著紅袖章。

“老王，這麼興師動眾的，犯得著嗎？” 爸爸冷冷地問。

那個老王從製服的上衣口袋裏掏出一張卡片，給爸爸看了一眼。“尚和，這是拘捕證。” “我犯了什麼法？” “涉嫌協助走資派包正清逃跑，導致其自殺身亡。” “你們真會編故事，安罪名。這樣真正的罪犯倒是輕輕放過了。好吧，我這就吃完。”

大家都不說話，看著爸爸喝完碗裏最後一口稀飯，抹了抹嘴。我這才發現，爸爸今天沒刮鬍子。爸爸問，“帶家夥了嗎？” 老王說，“你就不用了。” “哼，謝謝優待。”

爸爸走到門口，看了看外面一大群人。他回過頭對我們說：“小蕭，堅強點。進進，你不小了，學會照顧自己。” 爸爸跨出大門。老王和另外兩個人跟著出了門。

我還來不及哭，就看到原先留在門口的那個員警對外面的人做了個手勢。一夥紅衛兵沖了進來。領頭的進門就喊，“蕭茳芏！你這個國民黨特務，反動知識分子家的臭小姐！你終究逃不出無產階級專政的天羅地網！”

沒等他們到跟前，媽媽猛地站了起來。“等等！讓我孩子先出去！”幾個紅衛兵都楞住了。媽媽叫：“進進！到隔壁找小五子玩去！”

“我不，……” 我腦子裏一片空白，不知道自己該怎麼辦。

“出去！” 媽媽又一聲怒喝。我不由自主地往後退。有人拉住我的胳膊往門口一扯。我驚呆了：是馮伯伯家的小爾！門口又有人把我拉過去，往外面猛地一扔。

我腦袋撞在地上，失去了知覺。

醒過來的時候，最先看到的是小五子滿是淚水的臉。我一時想不起來先前發生了什麼事情。“小五子。” 我弱弱地叫了一聲。

“你醒過來了？進進，你沒死！”小五子笑了一下，又哭了起來。

“你怎麼了？……我，我怎麼了？”

他想把我扶起來。但是我身體軟軟的，拉不動。另一隻有力氣的手托了我一把，是小維哥哥。他的臉上也掛著淚。

我搖搖晃晃地站了起來。“怎麼了？” 這時候，我發現自己站在自家門前的院子裏。大門緊關著，兩張白紙條交叉貼在上面。記憶一下子回到腦子裏。

“是小爾！是他帶著三中的紅衛兵來抓人，抄家的！” 小維哥哥憤憤地說。“我爸爸媽媽和大哥三哥也被抓走了。他們說我爸和我媽破壞文化大革命，讓兒子威脅革命造反派，記變天賬。”

“我們不能回家嗎？” 我指了指大門。

小五子搖搖頭。“那是封條。他們不光給門窗上了封條，大門還鎖上了。我們想進也進不去啊。”

“不能回家？你們家也貼了封條？” 我難以接受這個現實。“那我們怎麼辦呢？”

小五子和小維哥哥都低下頭，不說話。

我好像身體和知覺都恢復了，只是左眼睜不開，用手一抹，滿手是血。眼睛是被血糊住了。我用手擦去蓋在眼睛上的血，往大門走去。大門真的給一把大鎖鎖住了。兩張長長的封條，寫著毛筆字，還蓋著血紅的大印。我往邊上走，看到幾扇窗子也都貼上x狀的封條了。轉身看院子四周的籬笆墻，好像又被貼上新的標語。凡是有我爸爸和媽媽名字的地方，都被打上猩紅的大叉。

這是一個陰冷的日子。秋風不時席捲而來，揚起枯黄的落葉，在院子裏打轉。我的左眼又被額頭上流下的血蓋住，右眼的眼角裏不斷湧進刺眼的紅叉和白叉。

我一屁股坐到門前的臺階上。小維哥哥和小五子也走到我旁邊坐了下來。

第八章

我們三個孩子在臺階上坐了很久，不知道該怎麼辦，能幹什麼。我們都還是小學生。小維哥哥剛上完六年級，我和小五子應該上五年級了。學校不開學。現在爸爸媽媽都被抓走了，家門就在身後，卻進不去了。

一個女孩拉著一個老太太的手進了籬笆墻院門。是蔣貴花和她奶奶。蔣奶奶邊走邊搖頭，嘴裏嘟噥著。“作孽啊，作孽啊。” 她看到我滿臉是血，大吃一驚。“哎呀，怎麼搞的？他們連這麼小的孩子都打？還有沒有王法啦？”

我哭著喊了一聲：“蔣奶奶。”

“唉，進進啊。四子，五子啊。蔣奶奶我膽子小，造反派在的時候不敢過來呀。這不，貴花說，人都走了，我這才敢過來看看。” 她看了看大門。“真的叫他們封上了？土改那陣子好歹也給地主家屬留一個住處啊。這怎麼辦呢？你們有親戚能投奔嗎？”

我搖搖頭。我沒有親戚。外公外婆在臺灣的大學教書，媽媽的奶奶一直在北京，前兩年去世了。在江安只有一個包爺爺，還投江自殺了。

小維哥哥這才想起來。“哦，對了。我表姑在西八裡橋的棉紡織廠工作。” “去那兒有公交車嗎？” “好像有。以前表姑來我們家，都是吃了午飯以後回去的。” “那你們也吃了午飯再走。萬一坐不上車的話，……” “蔣奶奶，沒有車我們就走著去。” 小維哥哥站了起來，把小五子也拉起來了。

小五子看看我。“那進進怎麼辦？進進，要不你也跟我們一起去吧。” “我不，我要等爸爸媽媽回來。”

蔣奶奶說話了。“哎呀，你們兩個半大小子去，你表姑就夠為難的了。怎麼還能帶一個朋友去？你們放心走吧。進進我來照顧。”

“行。那我們走了。”

“不急那麼一會兒。這都是吃午飯的時候了。你倆上食堂，找到蔣師傅，告訴他是我說的，讓他給你們墊上飯菜票，吃了再走。”

我忽然想起來媽媽說飯菜票放在我衣兜裏了，連忙掏出來，給了他們一斤飯票和兩角的菜票。“小維哥哥，我這裏有飯菜票。”

小維哥哥遲疑了一下，接過飯菜票。“那好。進進，我以後會還給你的。進進，我們走了。你……” 他們哥倆眼淚又落了下來。小維哥哥一轉身，拉著小五子就走。小五子被他哥哥拖到院門口，哭著扭過身子看看我。蔣奶奶向他們揮手，讓他倆快走。她的眼裏也噙滿了淚水。

等到看不見他們哥兒倆了，蔣奶奶才哭出聲來：“這是哪一輩子造的孽喲，……你看馮嫂子多好的人，那會兒是省法院院長的愛人，男人當那麼大的官，她每次見到我都客客氣氣的。一點兒架子都沒有。可我有什麼能耐照顧她的兩個兒啊？我對不起馮嫂子。走，進進，我們回家去。”

到了蔣家狹窄的小房間裏，蔣奶奶讓我坐在床沿。她從門外打來半盆冷水，又從熱水瓶裏倒了一些熱水，給我洗去頭上臉上的血。

蔣奶奶花白的頭發梳到腦後，打了一個結，用黑色的紗網套起來。她滿臉皺紋，右邊的臉頰往裏陷下去。一定是牙齒掉了造成的。她的眼神和唐奶奶像極了，流露著滿滿的關切和慈愛。小時候有一次我不小心絆倒，膝蓋跌破了，唐奶奶用棉球為我擦洗傷口，也是露出這種心疼的眼神。她們的手同樣的幹枯，動作也是一樣的輕柔，生怕把我弄痛了。

那盆水很快變成紅色的了。蔣奶奶一邊洗，一邊吩咐蔣貴花，“貴花，你倒上半茶缸子開水，從紅糖罐子裏弄一勺紅糖放在水裏。紅糖是補血的。”

我想起媽媽說過不要吃她家東西，她家困難的話，連忙說：“白開水就可以了，不要放糖。”

“你看蕭老師把進進教得多好，這麼小就知道為別人著想。我家貴花就不懂這些。我住院那天，她被你領回家吃飯，說蕭老師盡往她碗裏夾好吃的。可她連句客氣話都不會說。唉，蕭老師，多好的人啊。” 她抹了一把眼淚，嘆了口氣，搖了搖頭。“進進啊，你爸爸媽媽有菩薩保佑，不會有事的。我們家受過你爸媽的大恩大德，貴花媽有了工作，貴花的夜盲癥也治好了，多虧了你爸媽。你放心。你就住在我們家。我們有一口吃的，就不會讓你餓著。”

她在我額頭的傷口處撒上些藥粉，然後用布條把我的腦袋給裹上。“來，把這紅糖水喝了。補血的。”

我沒有再拒絕。蔣奶奶說，“中午就跟我們奶孫倆一起吃菜飯吧。飯是現成的，菜也撿好洗好切好了。下鍋一炒，跟飯放在一起，加點水一燒就好。” 說完她出去燒飯了。

我這才留意蔣貴花的家。大約 3 米見方。一張大一點的床，一張小床，幾乎把房間給塞滿了。大床豎放，床頭那邊橫著塞進去大半個小床。大床的床頭擋著一張蘆席。兩張床裏面的墻壁上都有木頭支架，架上放滿了東西。床底下也塞滿了箱子和雜物。小床和這邊墻壁之間有一小塊空檔，豎立著一個木頭支架，分好幾層，每層都放著木頭箱子和紙箱子。這哪兒象一個人家啊，簡直就是個塞滿了東西的大箱子。一家人都回來了，只能找個縫躺下。

我又出去看了一下。她們家燒飯是在外面。外面靠墻搭了一個很小的棚子，裏面有燒蜂窩煤的煤爐，墻角堆著一些蜂窩煤球，一個小小的碗櫃，一個四方形的木頭箱子上放著切菜的砧板，還有一個裝水的缸。哦，還有一隻小板凳。

過去我來找過蔣貴花兩次，都是在門口叫一聲，她出來。她爸媽也是出來和我說話。怪不得總也沒讓我進家。如果他們一家四口都在，我要是進來，根本沒有站的地方。

可是，蔣奶奶還說，讓我就住在她們家。住哪兒啊？

蔣奶奶一會兒就把切菜用的木頭箱子端了進來。她讓我坐在裏面的小床上，不然箱子就拿不進來。蔣貴花把盛了菜飯的碗和筷子放在小木箱上以後，盤腿坐在大床上。蔣奶奶最後端著小板凳進門坐下。“吃吧，進進。吃完了躺下養傷。”

菜飯就是把炒好的蔬菜和剩飯放在一起，再用水把飯粒煮得膨脹開。“好吃嗎，進進？”蔣奶奶問。

“好吃。” 我點點頭。“香。”

“放了一點豬油。” 蔣貴花笑著說。

我注意到，我碗裏的菜飯比她們碗裏的亮一些。蔣奶奶專門給我放了豬油。而且，她們的碗都沒有裝滿。我吃了她們奶孫倆一半的中午飯。我不知道說什麼好，淚水止不住流了下來。

“不哭，不哭。進進，你爸爸是有功之臣，媽媽是個好人。忠臣落難，遲早會平反昭雪的。” 蔣奶奶趕緊安慰我。

吃完飯蔣奶奶逼著我躺下。我躺在那裏，心裏亂極了。我知道爸爸媽媽可能回不來。我們家的大門和窗子都被封上了嘛。可是，我能上哪兒去呢？有一點是肯定的：我絕對不能住在蔣家！我也不能再吃他家飯了。他們家沒錢，連食堂都吃不起。這我早知道了。

昏昏沈沈地，我睡著了。醒來的時候，室內已經黑乎乎的了。蔣奶奶坐在門口，就著外面快要消失的天光縫補衣裳。蔣貴花不在屋裏。我馬上想起了自己的處境，決定離開。

“進進，你上哪兒去？”

“上廁所。”

“能走嗎？頭暈嗎？要不，在屋裏用痰盂子？”

“我沒關係。我能走。”

“快點回來。你蔣叔叔和阿姨馬上就要下班了。我們一起吃晚飯。”

“嗯。”

我回到大院後面我們家的房子那兒。門窗上的白色封條象妖怪的眼睛，在昏暗中冷冷地盯著我。我走過去用力地搖了搖門上的大鎖，又無奈地松開手。鎖“咣當”一聲撞在大門上。

我又轉到隔壁小五子家。果然，他家的門窗也貼著同樣的封條。籬笆墻上也貼著大字報和標語。唯一和我家院子裏不同的是，他家的籬笆墻上還貼著漫畫。那個瘦瘦的尖下巴，帶著一副眼鏡的應該是馮伯伯。胖胖的地主婆模樣的一定是章阿姨。他們身邊有五條狗，張著嘴巴在叫。那條最小的狗肯定是小五子。哈哈，不知道他自己看到這幅漫畫沒有。

想起了小五子，我又難過了。不知道小維哥哥和他是不是找到他們的表姑家了。如果他們表姑家也和蔣師傅家一樣窄小，只有一間房，他們又怎麼辦？

我怎麼辦？蔣師傅和方阿姨下班回來，知道我跑了，一定到處找我。不行，我得趕快走。我絕對不能讓他們為難。再說，我怎麼能和他家奶孫三代擠在一間轉不過身來的小房間裏？蔣貴花還是個女生。晚上我要是想撒尿怎麼辦？我情願在外面凍死。

可是，到哪兒去呢？對了，公園。在公園裏也許能找個地方過夜。我繞到這排房子背後，借著那棵桑樹翻墻進了人民公園。

這個人民公園我來過多次。除了參加今年的六一兒童節演出，來看批鬥“黑幫”譚爺爺包爺爺的大會，我們學校還組織過到公園春遊，秋遊。可是，過去來玩我看到的都是花呀，草呀，湖水啦，金魚啦，從來沒有留意過公園裏哪兒可以躲風雨，那個犄角旮旯可以靠著睡一覺。供遊客坐的靠背椅是有的，但都在露天，不擋風。夜裏一定很冷。我已經覺得冷了。

我奶奶不就是凍死的嗎？爸爸小時候如果沒有奶奶抱著，如果他們沒找到那座寺廟躲避風雪，那爸爸一定也會凍死。可是，我的爸爸媽媽都被抓走了。我又到哪兒去找一座廟？誰能給我遮擋風雨？哪裏會有和尚收留我？

我漫無目標地走著，哭著。就這樣來到露天大舞臺。四個多月前，我在這兒指揮實驗小學合唱團的少先隊員們唱“我們是共產主義接班人”。唱得多起勁，笑得多美啊。一個多月前，我在臺下看造反派批鬥包爺爺。聶文龍扇包爺爺耳光，又把他踹倒。包爺爺很艱難地想站起來。他一擡頭恰好看到了我，沖我笑了一下。他想告訴我什麼？

沒有包爺爺和他帶領的紅軍，我爸爸還是個和尚。都說和尚是不能結婚的。就算能，他也認識不了我媽媽，那就不會有我。沒有我反而好。他們不用擔心我。我也不用在這麼冷的夜晚到處找個能歇下來，閉一閉眼睛的地方。媽媽被紅衛兵押走的時候，肯定看到我腦袋撞破流血，躺在地上失去了知覺。她不知道該有多擔心哩。她可能沒看到自家的大門被貼上封條。

這樣會好一些，不然會更擔心，一定會擔心死了。媽媽現在在哪裏？不管她在哪裏，她一定在哭。一整夜都在哭。

爸爸不會哭。他說過：男子漢流血不流淚。但是，他心裏會很難受。他是個打了十幾年仗，帶領過上千人沖鋒陷陣的英雄，卻保護不了我和媽媽。

“喂，小孩！” 不遠處，一個人拿著手電筒向我照過來。“說你哩！這麼晚怎麼不回家，還在這兒瞎逛？” 他大聲嚷嚷，“快回家去！公園關門了！”

我拔腿就跑。那人追了幾步就不追了。他在我身後叫著：“趕快回家去！再不走，巡夜的民兵來了，把你抓起來送到牢裏去！”

我知道他是嚇唬我。爸爸說過，未成年人犯錯不送牢房，但要關進青少年什麼所。那裏面關的都是小偷，流氓，壞孩子。我不能被他們抓起來。公園裏找不到過夜的地方也不讓待，我只有穿過竹林，翻墻回到大院。我到自家的大門口坐了下來，靠著大門。這兒是我的家，不讓進去也是我的家。總不會有人到這兒來抓我。

正在我冷得直哆嗦，胃感到抽抽地難受時，一個熟悉的身影向我一瘸一拐地走來，是蔣師傅。他既沒有打手電，也沒有大聲叫，默默地走到我跟前，把身上的厚絨球衣脫下來，給我套上。絨衣帶著他的體溫，還有一股廚房特有的油爆蔥薑的味道。他和我並排坐下，遞給我一個大包子。大包子是用毛巾裹起來揣在懷裏的。還沒有涼透。我接過來，幾大口就全塞進嘴裏了。吃了包子，胃裏不再難受了。

“我知道。進進，要是換上我，也不願意和別人家三個大人，特別是還有一個女孩子睡在那麼小的一間房子裏。” 蔣叔叔親切地說，“可是，你坐在這兒不是事啊。這都十月底了，天氣會越來越冷。冬天眼見著就到了。”

“蔣叔叔，冬天已經到了。”

“可不是嗎？已經到了。我們得想個過冬的辦法。”

“大不了，死了算了。” 我脫口而出。

“哎呀，這可不是一個十來歲的孩子說的話。這可不是一個戰鬥英雄的兒子說的話！想想你爸爸，在你這個年齡已經當兵成了紅小鬼了吧？過去多難啊，他那麼堅強，勇敢。你可不能給你爸媽丟人！” 蔣師傅接著說，“我們不能死。你一定要堅持到你爸爸媽媽回來的時候。否則，他們回來看不到你，那會多傷心。你想想，是不是？至於現在這點困難，還是可以克服的。我下班回來後一直在找你，也一直在想辦法。我們食堂堆柴草的棚子有頂也有墻，風雨都進不去。我們把草鋪開，睡在上面。天亮炊事員上班準備早飯的時候哩，我們再把草捆回原樣。白天我和你方阿姨上班，家裏人少，你總可以在家待著。這樣好不好？”

“蔣叔叔，我怎麼不知道有這個棚子？”

“你平時買飯都是到食堂的飯廳。看不見我們廚房後面有個小院。柴草棚在小院的拐角。大廳裏是看不見的。”

“那好。” 我心裏覺得有了著落。蔣師傅又說，“一開始，你可能有些害怕。那裏面黑咕隆咚的。沒關係，我陪你睡在那兒。”

“不用，不用！我真的不怕。你看我剛剛在公園裏一個人瞎轉，被人趕出來，又回到家門口一個人坐著，我都不怕。蔣叔叔，我不要你陪。”

“真的？那就好。我現在就帶你去。我有一件軍大衣，能給你蓋嚴實了。不過，我要跟你說好，白天你要待在我家，不能到處亂跑。因為你頭上有傷。蔣奶奶得給你換藥。弄了個破傷風可就麻煩大了。”

第九章

跟著蔣師傅回家取軍大衣，我沒好意思進屋。

我不打招呼就跑了，讓他們一家人找了一個晚上，實在難以面對她們奶孫三代人。另外我也想到，他們家地方那麼小，再多一個人也裝不下啊。面對我的遲疑，蔣師傅好像猜到了我在想什麼。他說，好，你就在外面等一下吧。他進門取了軍大衣，還拿了一杯熱水。我跟著他走到大院食堂。他開了鎖。我們穿過食堂大廳，由竈房進了後面的小院。

小院很小。裏面有一排水池，是洗菜用的。還有那個裝柴草的小棚子。小棚子兩面靠墻，一個側面是用蘆席擋起來的墻。還有一面對著院子敞開著。因為在很小的院子裏，前面空間不大，四面又都是高高的墻和房屋，風吹不進來。

小棚子沒有門反而好。如果有門，我在裏面還不像是被關在箱子裏一樣？沒有門，可以看到外面小院上方四方形的天空。

棚子裏有廢木料，幹樹枝，稻草和麥稭。蔣師傅說，這些都是從勞改農場運來的。現在柴草可不好搞。只有我們這樣的單位有條件。單靠燒煤，炒菜可不行。這要是在往常，我一定會問為什麼煤爐炒菜不行。不過現在可顧不上問這些不相幹的事情了。

蔣師傅挪動一下柴草的位置，騰出一小塊地方，幫我把稻草鋪平。他說，他小時候家裏窮，冬天都是睡在稻草裏面。農村人管這叫“拱稻草”。

“沒有褥子和被子嗎？” 我覺得奇怪。

“哪有什麼褥子。我家到現在床上也沒有褥子。我要是沒當過兵，還不知道什麼叫褥子。在鄉下那時候，破被子倒是有一條，也不知道用了多少年了。一家人蓋一個被子，根本蓋不住。基本上靠稻草取暖。”

“那我現在還有你的軍大衣蓋，比你小時候條件好多了。”

“可不是嘛。不過，進進，你和我們不一樣。你命好，生在高幹家，從小就像是活在天堂裏，要什麼有什麼。一下子從天上落到地下，不容易受得住。你要挺住啊。”

“蔣叔叔，沒有你，我今天晚上就挺不住了。”

“別這麼說。沒有我和別人的幫助，你也要挺住。” 他拍拍我，示意我坐下。“水趁熱喝了。晚上尿尿，墻根那兒就是汙水溝。進進，貴花說，春天裏你們學校搞憶苦思甜活動，你們四年級兩個班在一起開會。你的發言最感人。她說，你爸爸四歲的時候跟著你奶奶四處討飯。在一個大風雪的夜裏，你奶奶帶著你爸爸躲進廟裏。她在廟裏緊緊地抱住你爸爸。第二天早晨，你奶奶凍死了。她聽到這兒哭了。老師和很多同學也哭了。你看啊，你爸爸遭到那麼大的難，不是也活下來了？還成了朝廷一方大員。小時候受罪遭難是好事。”

好事？我不明白。蔣叔叔你小時候也吃苦遭罪，不也還是個炊事員？家裏那麼小，床上連褥子都沒有。不過，我只是心裏這麼想，沒說出來。

蔣師傅繼續說，“如果沒有今天發生的這些事。現在你應該是吃飽了喝足了，睡在軟軟的棕棚床上，蓋著暖呼呼的被子做好夢哩。你哪裏知道自己身在福中？哪裏知道世界上有很多人一輩子都沒墊過褥子？”

“嗯。” 我在黑暗裏點點頭。這話說得對。

“經過今天的事，你至少懂得了更多的道理，開始理解人生了。人就是這麼長大的。”

蔣師傅再次確定我不需要他陪伴之後離開了。我獨自躺在松軟的稻草上，蓋著蔣師傅的軍大衣，透過柴草棚敞開的一面，望著小院上空那一片天。

今天一整天都陰沈沈的，我獨自在公園裏找一處藏身之地時，冰冷的風透過我身上的衣褲，紮進我的骨頭裏。現在回想起來還讓我直打哆嗦。這會兒風停了，夜空似乎轉晴了。頭頂那一小片天上沒有雲，我不僅能看到星星，而且還能看到懸掛在屋頂上空的月亮。月光如水，書上是這麼說的，確實是這樣。月光靜靜地瀉在屋頂上，往下卻落入幽深的黑影中，不見了蹤跡。那黑影一直伸到柴棚前面觸手可及的地方，離我很近。不，還是不要看眼前的黑暗，擡起頭來看天，看月亮。

媽媽說，如果月牙像拼音字母C，那就是殘月。好記，因為殘字的拼音是 cán。如果月牙像 C 字倒過來，那就是新月了。“彎彎的月兒小小的船，小小的船兒兩頭尖。……” 這個月牙是彎彎的。可是它哪兒像船呀？船頭要是真的翹起來這麼高，那不被浪掀起來，也可能撞上礁石，船很容易翻的。

我過去讀書，從來都沒有懷疑書上的話。你看，連《彎彎的月亮》都不準確，其它文章恐怕也是瞎編的。二年級時白老師給我們讀過一首詩，“爺爺六歲去放羊，爸爸六歲去逃荒，今年我也六歲了，公社送我上學堂”。讀完以後白老師問：“誰的爸爸逃過荒？”除了我，全班沒有一個舉手的。小五子說，六歲那年，是他媽媽送他上幼兒園的。白老師還生氣。她生什麼氣啊？誰不是家長送去幼兒園的？

我六歲就上小學了，可是十歲就沒學可上了。我的爸爸媽媽也不知道被抓到什麼地方去了。家裏門窗被貼上了封條。我在公園裏被人當成壞孩子追著跑。如果沒有蔣師傅，晚上連一個能遮風擋雨，躺下睡覺的地方都找不到。哼，我也能寫一首詩，一首不騙人的詩。對了，就叫……《今年我也十歲了》。

反正睡不著，我開始在腦子裏編這首“詩”。編了半天，第一句總是想不好。因為我問過爸爸，“爺爺六歲放過羊嗎？”他笑著說，“我們南方不放羊，你爺爺小時候要放也是放牛。就是人家說的放牛娃。” 可是，“牛”不押韻啊。爸爸也沒說得那麼肯定。我就改成“放牛羊”吧。

“爺爺十歲放牛羊，爸爸十歲在打仗。今年我也十歲了，爸媽被抓頭撞傷。躺在食堂草棚裏，看著星星和月亮。”

我在心裏默念了好幾遍，覺得自己寫得真好。至少不是瞎編的。

這五個月發生了這麼多的事，比我一輩子經歷過的都多。今天發生的事，比一整年發生的事都多。今天一天好像比過去一年都長。蔣師傅說人就是這麼長大的。我也覺得我自己長大了很多。可是，我還是不知道以後該怎麼辦。

這一覺睡得很沈，好像剛閉上眼睛就被蔣師傅叫醒了：“進進，醒醒，回家到床上睡去。”

我還沒有完全睜開眼睛，就被蔣師傅拉了起來。他把軍大衣披在我身上，迅速地將鋪在地上的稻草挪在一起，捆成一捆。盡量地讓草棚恢復原樣，然後拉著我往外走。我個子小，軍大衣拖在地上了。我索性把大衣的衣領拉到頭頂上，把頭和身體都裹進大衣裏面。

天才濛濛亮。

出了食堂大門，蔣師傅問我：“醒過來了嗎？可以自己走回家嗎？” 我說行。他說，“那我就不送你回去了。我得幹活，準備食堂開早飯。家裏人都起來了，連貴花都起來了。你進去沒事兒。”

他家的門開著一條小縫。我知道這是告訴我，可以推門進去。但我還是敲敲門，喊一聲："蔣奶奶，我回來了。"

"來啦？進進快進。" 我進去了。屋子裏有一股從人的身上散發出來的濃濃的味道。三個人笑臉相迎。蔣貴花還重復一句，"進進快進。" 這話是蠻好笑的。

蔣貴花的媽媽方阿姨說，"貴花，你要向人家學習。別人家的孩子怎麼就這麼懂禮貌哩。進進，床上坐。我們家窄貶了點。好在我和你蔣叔叔一大早就上班，到晚上才回來。怎麼樣？昨晚睡得還好吧？哎呀，真是委屈你了。" 蔣奶奶馬上插話，"進進，上床再睡一會兒。早飯好了我叫你。"

我搖搖頭，"我不睡。" "怎麼啦？你受傷了，得多躺著休息。" 在她們奶孫三代殷切的目光下，我吞吞吐吐地說，"我……昨天晚上睡在稻草上，……恐怕身上有蝨子。"

沒想到，她們三個人都笑了。方阿姨說，"我們家床上前兩天剛鋪的稻草。稻草是從食堂買的，跟你睡的稻草一批來的。"

我想想也是。"那我坐在床上去吧。" "隨便。進進，你就把這兒當成自己的家，別受拘束。" 我過去好像從來沒有機會和方阿姨說過話，沒想到她人這麼熱情。蔣奶奶和蔣貴花到外面可能是刷牙洗臉，也可能是倒騰煤爐做早飯去了。方阿姨一邊跟我說話，一邊手腳一下子也不停地收拾家，把東西規整到墻上的木架上和床肚下麵。

"方阿姨。" "哎，你說。" "您還在三中工作嗎？" "在呀。我雖然自己家庭成分不好，可我丈夫是共產黨員，復員軍人。再說，……" 方阿姨停頓了一下，好像在思考該不該說。"嗨，我只不過是個臨時工，在三中是沒有檔案的。你蔣叔叔說，如果別人問，我就說是貧農出身。我嫁到蔣家了嘛。大不了不讓我幹了。"

方阿姨停下手裏的活，看了看我。“哦，我明白了。我要是有了你媽媽的消息，一定會馬上告訴你。不過啊，這得找機會。我這份工作是蕭老師介紹安排的，如果急著打聽，怕紅衛兵和造反派懷疑。” “嗯，我懂。”她嘆了口氣，繼續忙碌起來，一時找不到話說了。

早飯後，方阿姨上班去了，家中恢復了安靜。蔣奶奶說來說去就是那麼幾句話。蔣貴花本來就不愛說話。我在床上躺了一會兒，坐起來，把兜裏的飯菜票拿出來數了又數：一共有 11 斤 2 兩飯票和 5 元 3 角菜票。我決定把這些全部交給蔣奶奶。這些飯菜票應該夠我半個月的夥食了。半個月以後，我得另想辦法。雖然現在我也不知道能有什麼辦法，但是我不能白吃人家的飯。他家本來就很困難了。我在大街上看到過要飯的。我也可以要飯啊。這麼想，覺得安心多了。

沒有事情幹，時間顯得特別慢。如果出去，又能找誰玩呢？小五子不在了。其他同學知道我爸爸媽媽都被抓走，一定把我當成“狗崽子”。陳和平、韓衛東他們說起“走資派”，“黑五類”時咬牙切齒的。我幹嘛找他們玩？陳和平現在也成了現行反革命分子的狗崽子了，那我也不願意跟他玩。

這裏只有蔣貴花。可是她不僅是個不愛說話的女孩，而且她什麼都不會：不會滾鐵環，不會玩彈子球，不會拍畫片，連女孩子都會的踢毽子，跳繩都不會。我要是給她講故事，她一定高興。但是我心情不好，不想講。那就做算術吧。蔣叔叔說，她最怕算術的文字題。我要是幫助她弄明白了，也算是給她家做了一點事。

“蔣貴花，我們一起複習算術的文字題好嗎？”

“好啊，” 她特別高興。我想，主要是她也想找點事情做，免得兩個人大眼瞪小眼的尷尬。她把算術書拿了出來。

“你爸爸說你一看到距離、速度和時間的題目就發怵，是嗎？”她點點頭。“這類題不難。我舉個例子你就明白了。從香河到江安有60公里，汽車每小時開30公里，多長時間開到江安？”“兩小時。”我在本子上寫“距離/速度=時間”。我又問了距離和速度，她都一口就報出來了。我找出書上的題目讓她算，她都能算出來了。“咦，聽了你舉的例子，好像不覺得難了。”“我媽就是這麼教我的。你跟我一樣，一定是上課的時候特別緊張，越緊張越糊塗。”

我誇獎她接受能力挺強的（這個詞是跟我媽學的），我看蔣奶奶聽了比她孫女兒還要高興。

蔣奶奶天天給我換藥。不到一個星期，我額頭上的傷就開始“收口”了。蔣奶奶高興地一個勁兒說，小孩子恢復得真快。

我每天都要到自己家門口看好幾次，希望門開了，爸爸媽媽回來了。但是每次都很失望。方阿姨說，我媽媽沒有關在三中。她每一處都留意了，也問了其他工友，沒人知道我媽媽關在什麼地方。

至於我爸爸關在哪兒，蔣師傅也打聽了。可是誰也不知道。有人說，因為他身份不一樣，所以是“異地關押，異地審訊”，防止包正清失蹤那樣的事再次發生。人家說，包正清的事讓中央文革小組特別惱火，覺得讓這樣一個死心塌地執行劉鄧反動路線，敢和偉大領袖毛主席對著幹的，彭德懷式的野心家這麼輕易地逃脫懲罰，是江南省革命造反派最大的疏忽和失誤。

我幾次偷偷地跑去看大字報。食堂飯廳那裏因為地方大，平時來來往往的人多，大字報相對集中地貼在那裏。那些大字報上寫著：包正清自絕於人民了，我們決不能放過包正清在政法系統的走狗和爪牙馮國良，尚和之流！要肅清馮國良、尚和在公檢法系統的影響，揭開他們偽善的假面具，讓他們反黨反社會主義的醜惡嘴臉徹底暴露出來。

如果看到有人來，我會馬上躲起來。

有一天下午，刮著風。我估計不是開飯的時間，沒什麼人在外面，就戴上蔣師傅的“馬虎帽”出去看大字報了。“馬虎帽”是黑線織的，可以把折起來的帽邊拉下來，把臉蓋住，只露兩個眼睛。我發現有許多人在食堂的飯廳裏，很好奇，便繞到飯廳有窗子的另一面，鉆過外面一排冬青樹，伸著脖子往窗戶裏面看。原來裏面在開大會。

韓衛東的爸爸韓興旺扯著嗓子說話。“……有人說，馮國良老實巴交的。他老實嗎？開他的鬥爭會，他讓五個兒子站在臺下，公然向革命造反派示威！這個地主階級的孝子賢孫，他是要兒子記下變天賬！尚和這個包正清的黑爪牙更有欺騙性！他到處宣揚自己是苦出身，他也許真的要過飯。但是，他參加革命之前是個專門搞封建迷信的和尚！據揭發，他的名字是包正清給取的。取什麼名字不好。為什麼不叫‘衛東’、‘赤旗’，不用‘紅’、‘共’、‘革命’？包正清一是讓他記住他封建迷信的出身，二是讓他崇尚‘和’。他果然在擔任香河縣委第一書記那幾年大搞‘三和一少’，‘三自一包’！”

下麵參加會議的人交頭接耳，有人笑出聲來。韓興旺惱羞成怒：“蔣大柱！你們怎麼在下麵開起小會來了？說什麼呢？”蔣師傅應聲答道，“韓科長，我們在這裏說，還是您有水準。分析尚和名字的反動性有創見！”

“哼！既然你蔣大柱公然跳出來，那我對你就不客氣了！我告訴大家：這個蔣大柱，蔣師傅，別看他平時悶頭幹活想當勞動模範。他可有主意啦。他認準了尚和出身好，資格老，把寶押在這個失勢的走資派身上！”

蔣師傅一聽這話氣極了。“韓興旺，你把話說清楚了！我押什麼寶了？”

“你窩藏了走資派，三反分子尚和的兒子！”

“放你媽的狗臭屁！一個十歲的孩子，你讓他在外面凍死餓死？你也有兒子，就不怕報應？”

蔣師傅變得完全不像平時那樣謙和的模樣，從人群裏沖向韓興旺，要揍他。全場都亂了。幾個人拼命拉住蔣師傅，另外有人擋在韓興旺的前面。

我的腦子“嗡”的一聲變大了，離開了飯廳的窗戶，拼命往蔣家跑去。

第十章

其實，我也不知道跑回去能幹什麽，只是沖進家門，趴在床上哭，把蔣奶奶和蔣貴花嚇壞了。蔣奶奶小心翼翼地問："這是怎麽啦？進進，誰欺負你了？告訴蔣奶奶。"

"不是，……我，……他們開會，說，蔣叔叔，不該，……收留我。" 我抽泣著，也不知道怎樣解釋。

"哪個王八蛋講的？啊？"

"韓 … 興旺。韓衛東他爸。" 我哭著說著。

"這個不得好死的雜種！進進，不哭，我們不怕他。"蔣奶奶繼續安慰我。"那個挨千刀，不得好死的韓興旺。我們家是貧農出身，你蔣叔叔還是共產黨員、退伍軍人，根本不在乎他。你也不用理他！"

話是這麽說。韓衛東的爸爸在大會上當著那麽多人的面，把巴結走資派的罪名安在蔣師傅頭上，搞得蔣師傅差點和他打架，都是因為我。蔣師傅一家人其實膽子很小。連我都知道方阿姨是大地主的女兒。如果韓興旺想報復蔣叔叔是很容易的。他只要像陳胖子那樣去一趟三中，方阿姨食堂臨時工的工作就保不住了，沒準還會被三中的紅衛兵批鬥。我不能讓他們擔驚受怕。

"蔣奶奶，我不能在你家住了。我媽早說過，你們家困難，不能給你們家添麻煩。" 我這時候雖然還不知道可以去哪裏，但是已經下定決心要離開他們家。

蔣奶奶著急了。“哎呀，進進你可不能走！冬天到了。你年紀這麼小，不能沒有人照顧！” 可是她也知道，我真的要走，她是攔不住的。

“我不是小孩子了。可以自己照顧自己。”

“進進，你聽奶奶一句話：不要走。你蔣叔叔和方阿姨都在想方設法打聽你爸爸和媽媽的消息。你走了。我們有消息怎麼告訴你？”

這倒是個阻攔我的理由。可是，我想了想，那也不能繼續待在他家。再說，我那點飯菜票頂多夠我半個月的夥食費。再住下去，吃的都是他家四口人從緊巴巴的定量口糧中擠出來的。我對蔣奶奶說，“我會常回來打聽消息的。要是有我爸媽關在哪裏的消息，麻煩你叫蔣貴花寫個紙條，塞在我家大門下麵的門縫裏。”

蔣奶奶嘆了一口氣，“進進啊，我們家條件不好，你但凡有個去處，蔣奶奶不會攔著你。可是，你沒有地方可去啊。”

“蔣奶奶，我去找小五子。你知道的，他們哥倆去西八裡橋他們表姑家了。”我怕她拼命攔住我，只好這麼說。雖然我知道不可能去找小五子。

“你有他們哥兒倆的信了？他們那兒好住嗎？他們表姑能留你？”

“嗯。郊區地方大。蔣奶奶，要是他表姑不高興，我再回來找你們。”

蔣奶奶有些猶豫。“那也得等你蔣叔叔回來，我們商量了再說。要去，讓他請一天假送你去。”

“不用，現在還有公共汽車，再不走就晚了。” 我一步跨到門口，隨時準備奪門而出。

“好，好吧，你等等。” 蔣奶奶從她“大襟”褂子的兜裏掏出一個手絹裏著的布袋。她把小布袋裏面的零錢全部拿出來，數了數，一共五角六分。她把錢全數遞給我。我接過錢，想了想，收下兩角，把餘下的三角六分還給她。蔣奶奶不肯收回。我就放在床上了。

“蔣奶奶，這些夠我買車票了。再見！” 我轉身就跑。這一回，我穿過大院往大門口跑。我想讓盡量多的人都看到我離開這裏了。別再說蔣師傅家收留我了。

確實有許多人看到我了。我都能感受到大院裏男女老少盯住我看的目光。他們心裏想什麼，我不知道。我只知道，沒有人把我攔住，問我打算到哪兒去。就算有人同情我，可是誰能管，誰敢管呢？

出了大院，到了街上，我才發現，頭上還帶著蔣師傅那頂黑線帽子。以後再還給他吧。我拉下帽子翻折上去的邊，擋住寒風，也擋住路上行人看我的目光。

可是，我能到哪兒去呢？我茫然地走到一個公共汽車站的站牌下，看了看那上面的路線圖。那上面沒有西八裡橋。看到旁邊一位等車的中年婦女面相不兇，我便問了她一句：“阿姨，請問到西八裡橋乘幾路車？” “七路。” “七路車站在哪兒？” 她指了指人民公園方向，“那邊。” “謝謝阿姨。” “不用謝。喲，這年頭像你這樣懂禮貌的小鬼可真不多。”

在人民公園大門外的七路公共汽車站牌下，我看到七路的起點和終點分別是“江安汽車站”和“西八裡橋”。那麼，我真的要去西八裡橋？到了那兒又能怎麼樣？一下車，我肯定摸不清東南西北。我能在路邊抓住一個過路的人問：喂，你知道小五子，他大名叫馮小克，他表姑家在哪兒嗎？我連他表姑叫什麼都不知道。就算碰巧看到小五子和小維哥哥，他表姑幹嘛讓我住在她家？我們一點關係都沒有。那還不如留在蔣師傅家，晚上好歹有個草棚子，下面鋪著稻草，上面有一件打了補丁的軍大衣蓋著。

七路車來了。我沒有上去，繼續在街上走啊，走啊。走過三中，又轉到實驗小學。兩個學校的大門都是開著的，但是從大門往裏看不到人。想想江安這麼大，我知道的地方可就是這麼幾處。過去家長管著，不讓到處亂跑。現在沒人管我，卻不知道哪兒可以去。對了，我還去過包爺爺家，應該也能找到，可是，他死了。

灰色的街道向前延伸著。街道兩旁的行人不多，街道上的車輛也不多。夕陽在街道和人行道上印出梧桐和泡桐樹的影子。樹葉差不多掉光了，樹枝的影子重疊著，冷風一吹，樹影的樣子就變了。我穿的不多，冷空氣從衣袖和褲腿口鉆進我的身體。

天色漸漸暗了下來。我肚子餓得咕咕叫，嗅著一股油爆蔥薑的香味，來到一家小飯店。飯店裏只有很少幾個顧客。一個十五六歲留著短發的女服務員閑著沒事，坐在空桌邊的條凳上嗑瓜子。她仰著下巴，兩眼無神地望著遠方的街燈。左手攥著一小把葵瓜子，右手一會兒往嘴裏扔一粒瓜子，上牙和下牙一嗑，瓜子殼便從嘴角吐了出來。我站在她旁邊好一會兒了，她都不用正眼看我一下。我怯怯地問，“請問一碗面多少錢？”“二兩的還是三兩的？” 她不往嘴裏扔瓜子了，但還是懶得把臉轉過來看我。“二兩的。” “一毛錢。” 我遞給她一張一角的紙幣。她這次斜著眼睛看我了，不過沒接錢，也不說話。我不懂她是什麼意思。“你不是說一毛錢一碗嗎？” 她不耐煩地“嘖”了一聲，“糧票呢？” “我沒糧票。” “沒糧票吃什麼面？” 她放大了音量，“哪兒不收糧票啊！”我一下子蒙了，站在那兒想哭。

那個服務員看了看我，態度有些緩和。“你這麼一點大的孩子，天黑了怎麼不回家？”我的眼淚不爭氣地流了下來。她拿了一個碗，盛了大半碗面湯，放在桌上，招呼我。“小孩，過來，把這碗面湯喝了。該上哪兒上哪兒去。”

我坐下，低著頭喝面湯。淚水流到碗裏，被我一起喝下肚子。一隻粗糙的手伸了過來，在我的湯碗裏放了一把鍋巴。

“謝謝姐姐。” 我沒有擡頭。她幽幽地嘆了一口氣。

離開小飯店，來到大街上。兩個帶著紅袖章的人趾高氣揚地從我身邊走過。我意識到，真正可以過夜的地方，看來只有自己家那個貼著封條的大門口。

當我穿過公園的竹林，翻上墻頭，準備順著那棵桑樹滑下去的時候，我自然地又想到了小五子。是他教會我走這條他哥哥們開辟的“秘密通道”。他們多會想辦法啊！忽然，我的腦子裏靈光一閃：我們家廚房有一扇對著後院的小窗子，一定沒有被封上！

大院最後面住著我們家和小五子家，都有單獨的院子。房子正面朝南有大窗户，後面卻沒有。我們這排房子和高高的大院院墻離得很近。廚房和衛生間是利用正房和後面院墻之間的空地建起來的。衛生間和廚房之間有一個封閉的後院。廚房為了通風，讓燒菜的油煙出去，開了一扇小窗户。這扇窗户不大，又對著封閉的後院，就算有人想貼封條也進不去。

我用手抓著公園這邊竹林裏的竹子，小心翼翼地在墻頭上往家裏後院方向蹭著走去。後院長滿雜草。小五子說後院有蛇和壁虎子。但是到了這麼冷的季節，它們一定已經躲進洞裏冬眠了吧？從院墻爬到廚房的屋頂並不難，廚房沒有前面正房那麼高。往下爬到了屋簷邊，我咬了咬牙跳了下去。還好，腳沒有崴。果然，廚房小窗上沒有封條。貼了封條意思是不許打開，那麼沒貼封條，這又是我自己家，我為什麼不能進去？當然我也知道，這個道理是我自己想出來的。我偷偷地進去，還是不能讓人知道的。小窗的裏面是上了栓的。記得在一部電影上，看到地下工作者用毛巾按在窗子上打破玻璃。我撿起地上的半截磚，脫下衣服按在窗玻璃上，輕輕地敲。玻璃沒碎，索性用力一砸。玻璃破裂的聲音是悶的，但是落在廚房地面卻“咣裏咣當”響了好幾聲。

我的心臟猛烈地跳動起來。側耳聆聽，四周除了風聲沒有其他聲音。我便大著膽子把手伸進去，拔開窗栓，推開窗子，笨拙地爬了進去。

我知道火柴就放在這個小窗窗臺的一角。摸了一下，火柴還在。擦了一根，一團殷紅的火焰出現在眼前。過了兩三秒鐘，我才看清廚房的情況。我的媽呀，桌子被搬開，碗櫥被拉倒在地。紅衛兵這是要做什麼？我摸到其他房間，家裏到處都被搞得亂七八糟的，就像電影上共產黨地下工作者住的地方被國民黨軍統特務搜查過了一樣。包括我的房間在內，床被挪開，被子扔到地上。書桌的抽屜被拉出來。衣櫥門大開著，衣物扔的滿地都是。紅衛兵肯定跟我一樣，看過電影“永不消逝的電波”。他們不是說，因為我的外公外婆在臺灣，我媽媽就一定是“裏通外國的狗特務”嗎？他們一定是想找到秘密電臺。哼，我爸爸是公安廳副廳長，家裏能有國民黨特務的電臺嗎？

不管怎麼樣，我回家了，回到自己家了。我該幹些什麼？第一件事是找吃的。我書桌抽屜裏原先有一個手電筒，現在不在裏面了。再擦一根火柴，很快就找到滾在墻角那個金屬外殼上反射出亮光的手電筒。

我進了廚房，先把窗子關上。再找吃的東西。米和麵灑了一地，現成的可以吃的東西，除了鹹菜什麼也沒有。但是找到了兩個蘿蔔、四個山芋和一棵黃芽菜，黃芽菜放的時間太久都蔫了。現在這些東西都成了寶貝。今天吃過面湯泡碎鍋巴了，蘿蔔山芋和黃芽菜留著以後慢慢吃。

第二件事是換衣服。自從那天爸媽被抓走，我被紅衛兵扔出家門，這身衣服從裏到外一直沒有換過。蔣奶奶說過要給我洗衣服，但是因為沒有可以讓我換穿的衣服，她讓我暫時穿蔣貴花的。這哪兒行啊！我就沒讓她洗，反正天天“拱稻草”也幹淨不了。現在我終於有幹淨的汗衫，褲衩，秋褲，絨衣可以換了。外衣嘛，就算了，從小窗子裏鉆進鉆出，還要翻墻頭，外面的夾克和長褲別指望能幹淨。再說，在外面大街上還是穿著髒一點的衣服安全些。

還有就是怎麼睡覺的問題了。我自己的床和爸媽的床都被紅衛兵移動過，他們把棕繃床的鋪面從床頭掀了下來，可能是想要檢查床下面放了什麼。我力氣小，沒法把床還原。再說，也不能還原。如果紅衛兵再來，看到屋裏情況不一樣了，一定知道是有人進來過。我把褥子鋪在窗子一邊墻角的地面上，這樣如果有人從窗子往裏看，是看不到我的。我裏著被子睡下了。真舒服！比草棚裏舒服多了。天氣如果再冷一些，我還可以把爸媽那邊的褥子和被子拿過來加上。

這一覺睡得舒服極了。可能是因為回到了熟悉的環境，聞著屋子裏熟悉的氣味。我剛醒來時，都沒想到自己在哪兒，直到睜開眼看到滿地橫七豎八的傢俱和衣物。

我小心地爬到窗下，把頭伸出窗臺，偵察外面院子裏的情況。還好，除了樹葉全部掉光，籬笆墻上的大字報和標語被風吹的千瘡百孔之外，沒有什麼太大的變化。這裏過去很少有人來。現在，馮院長家和我們家都被封了，人來這兒幹嘛？當然，我還是要提高警惕。爸爸說過，他小時候在部隊當偵察員，包爺爺反復叮囑他：潛入敵人占領的城鎮後，第一件事就是給自己找好退路。這樣一旦被敵人發現，就能迅速逃離。如果有紅衛兵或者造反派再來搜查，我一定要趕在他們打開鎖，進入房間之前，從廚房的後窗鉆出去。

從廚房屋簷跳下來容易，爬上去不能沒有做梯子用的東西。所以，我起來以後的第一件事，就是到廚房，把桌子搬到小窗下麵。我試著兩手一撐爬上桌子，拉開窗戶。從窗口扔出去一張椅子、一個方凳子和一個小板凳。從廚房往外爬需要兩條腿先出去，然後身體俯趴在窗臺上，手臂勾住窗臺再往下跳。我把那張椅子放在後院角落屋簷下，摞上方凳子，再摞上小板凳。這樣，爬上廚房屋頂就不難了。再由屋頂上院墻會容易一些。

我的動作還是有點笨，不過不要緊，練幾次就會熟練起來。翻墻頭不也是這麼練出來的嗎？只要不讓進來的人聽到動靜，他們是不會先到廚房來的。

心裏頭踏實了，我才進屋，回到前面爸爸的書房和爸媽的臥室。我需要找到買東西吃的錢和糧票。但是結果讓我很失望。這兩間屋裏既沒有錢，也沒有糧票。估計即使原先有，也被紅衛兵搜走了。

但是，爸爸媽媽的書很多。媽媽買過許多小說書。她總說我還小，看不了“大部頭”。現在，滿地都是書。我想看哪本就看哪本。那我先看哪一本呢？嗯，這本蘇聯的小說很有名：《鋼鐵是怎樣煉成的》。

第十一章

時間很奇怪，昨天有多長啊！那麼多的變化，那麼長的路，一天的內容幾乎把我的腦子都塞滿了。可是今天，我捧著那本有不少生字，特別是有許多奇怪的蘇聯人名字的小說《鋼鐵是怎樣煉成的》，囫圇吞棗地往下看，不知不覺中，窗外的太陽已經往西沈了。

家裏雖然被紅衛兵搞得不像樣子，但是既暖和又安靜，還有一個方便的地方：有自來水。我也是不久前才知道，在我們這個大院裏，只有前面的大樓和我們後面這兩家，再就是食堂，在室內安裝了自來水。象蔣師傅家，用自來水都是到院子裏，大家共用一個水龍頭。所以，他們每家都有水缸。至於廁所，就連大樓裏也是公用的。

上午我去了一趟家裏的衛生間。這裏面也被紅衛兵搞得亂七八糟：浴缸的簾子被撕破了，毛巾，洗漱用品被扔在地上。洗臉池墻上的大鏡子被砸開好幾條裂縫，有人在鏡面上吐了幾口濃痰，留下彎彎曲曲醜陋的痕跡。我知道，他們一定是看到這麼幹淨的衛生間，認為是"資產階級生活方式"，心裏特別恨。

我從地上撿起漱口杯。杯口摔破了，沒關係，還可以用。半個多月了，第一次刷牙。在蔣師傅家裏的時候，蔣師傅說可以用他的牙刷。牙刷哪能用別人的？多不衛生啊。再說了，他家的牙刷都不知道用多久了，可能他們家人永遠不換牙刷。他家的洗臉毛巾也一樣，又薄又硬，顏色都變得很難看。可能不到用成碎片，永遠也是不換的。我的這條毛巾多好，又厚，又軟，又香。

擦完臉掛毛巾的時候，我忽然想起那只往我面湯碗裏放碎鍋巴的手。那只手都快要趕上唐奶奶的手了：黝黑、粗糙、布滿裂縫，只是比唐奶奶的手厚實一些。我靈機一動：今晚是不是還到那家小飯店去蹭碗熱面湯喝？沒準，她還能給我加一點鍋巴，鍋巴真香。

不管怎麼餓，還是要等到天黑了才能出去。我在衛生間的地上撿起媽媽用的雪花膏瓶。我不白吃別人的東西。送這個給女服務員，她一定高興。她肯定是因為沒什麼錢，抹不起雪花膏。不然的話，哪個女人不喜歡把自己抹得香香的？連我們班女生中都有不少人抹。她們還是小孩吶。

帶著期望，我在夜幕的掩護下爬出小窗，越過高墻，出人民公園的大門，來到昨天那家飯店。現在店裏的顧客比昨晚要多。一個年紀大的女服務員看到我，惡作劇般地叫了起來："哎，小羅，你弟弟又來找你要面湯喝了！" 昨天的女服務員小羅走出來，半真半假地說，"哎呀，我不是跟你說了不要再來了嗎？你這個孩子，真把我們飯店當成鄉下人民公社 58 年的大食堂啊？"

昨晚她可沒說不讓我再來。現在這麼說，一定是怕別人批評她。

"小羅姐姐，我是來感謝你的。"

"哎喲，你看看這孩子嘴多甜，張口就叫姐姐。小羅啊，你就收他當弟弟吧。" 那個老服務員有意逗樂子。

"我收他當弟弟？鄧大媽，我連自己都養不活。"

"沒關係，小羅姐姐，我不喝你們飯店的面湯，我來看看你不行嗎？"

鄧大媽哈哈大笑，“小羅，你看，他認定你了。來，孩子，到那邊空桌邊坐下來。等過一會兒不忙了，我讓你小羅姐姐跟你說一會兒話。”

我在拐角找了個沒人的位子坐了下來，看著她們一老一小兩個服務員幹活。顧客並不多。墻上貼著“革剝削階級的命，反對人服侍人：革命群眾自己取飯菜，吃完還碗。” 但是，服務員雖然不把飯菜端給顧客，還是需要從廚房裏端出來，放在櫃臺上，喊顧客自己端到桌上吃。顧客吃完了，把碗送到一個臺子上。還是需要服務員送去廚房洗。吃過飯的桌子也還是需要服務員擦幹淨。所以，該做的事情差不多一樣。

很快，前面飯廳就沒什麼顧客了。小羅姐姐走過來。“你叫什麼名字？” “進進。” “進進，我昨天忘了跟你說，這地方你不能常來。飯店是公家的，不是我家的。我給你東西吃，別人會有意見。” “知道了。小羅姐姐，下次我不來就是了。”

她在我跟前坐下了。我看看沒人注意，從口袋裏把那個雪花膏瓶拿出來，悄悄地遞給她。“姐姐，這是給你的。”

小羅姐姐一看，好像給嚇了一大跳。回頭看看，沒人注意，這才低聲問：“哪兒來的？” “我媽媽過去用的。媽媽，……被，被紅衛兵給……” 她把雪花膏瓶子握在手中，眼睛有些濕潤了，然後，她突然站起來，往後面廚房走。

過了一會兒，她端出一大碗面條，熱騰騰地冒著蒸汽。“吃吧。我請你的。……吃啊，怕什麼？我付了錢的！” 我點點頭，接過筷子。定神一看：冒尖的一碗，上面撒著蔥花，碗邊漂著油。不是幾朵油花，而是大片的油。好香啊。比昨天的鍋巴還好吃 100 倍！

“我們這兒，你不要每天都來。影響不好。飯店領導說了，家裏人不允許來吃東西。你不是我家人，但是來找我，也一樣。” 我擡頭看看她，點點頭，然後繼續吃面。“進進，我給你出個主意吧。你家不是有東西嗎？比如說，你媽的舊衣服什麽的。要是有肥皂，火柴，草紙，白糖之類的憑證供應的東西就更好。你拿到早市上去，可以跟別人換一些吃的。長點心眼哦，別讓人騙了。”

我瞪大了眼睛。這可是我聞所未聞的新鮮事！

“羅姐姐，我們家有好多書。書能換東西吃嗎？”“不能！一看就知道你是知識分子家的，真笨！人家只要有用處的東西。草紙值錢，書不值錢！”

“哦。”我想我有點明白。

“你呀，明天一早先去早市偵察一下。那裏的人都賣些什麽。然後呢，你再回家搜羅搜羅，看看家裏有些什麽東西可以換吃的。你在早市，如果看到有人挎著大籃子，上面用毛巾或者舊衣服蓋著。那籃子裏肯定有饅頭或者包子，都是自家做的。那你就輕聲問，有饅頭嗎？多少錢一個？他會告訴你，比方說，五分錢。你說，我有一件大人穿的毛衣，能跟你換二十個饅頭嗎？他可能說，拿來看看吧，要是好，我給你十個大饅頭。你就說，毛衣是我媽去年買的，上海貨，跟新的一樣。沒有十五個饅頭不換。他會說，那得看看才行。你就說，明天吧，還是這個時間，還在這兒。”

我不住地點頭，心裏想，她真能，什麽都知道。她繼續說，“換他 15 個饅頭，省著吃，夠你吃一個星期的。”“嗯，謝謝姐姐。”她瞧瞧我。“你給我一瓶雪花膏，換我一大碗面和這些知識。不虧吧？”“不虧。姐姐你是好人。”“也沒那麽好。鄰居和同事都說我刁蠻。上學的時候，老師說我又笨又横。連家裏人都不待見我。”

“可是，小羅姐姐，哪兒有早市啊？”

她瞪了我一眼，搖搖頭。“我說你這個知識分子家的孩子沒用吧。你呀，餓死了都不知道自己死得冤。你連江安幾處早市都不知道？近處，人民公園東門口就有個小的早市。遠一些，江安汽車站旁邊有個最大的早市。都是天麻麻亮的時候有人。

等天大亮了，民兵執勤的一到，誰還敢搞自由市場那一套？有一個抓一個！” 我一個勁地點頭。這些事兒，她不告訴我，我怎麼能知道啊。

“小羅姐姐，我明天一大早先到近處的人民公園東門口偵察偵察。”

“對嘛。吃完啦？好吃嗎？” “好吃！這是我吃過的最好吃的面。” 她笑了，低聲說，“我趁大師傅不注意，往面碗裏面加了一大勺豬油。”

她又告訴我一遍家裏什麼東西可以拿去換吃的。“你看啊，這雪花膏吧，給我，我挺高興的。我自己捨不得花錢買啊。可是，你要是想拿它和鄉下人換雞蛋可換不來，她們要雪花膏幹嘛？聽都沒聽說過。你要想一想，如果你是鄉下人，你最需要的是什麼，就明白這個道理了。比如說，你看到一個大肚子女人，要是能有點紅糖，或者小孩穿的衣服，哪怕是很舊的，她也會心動。至於換什麼，你可以提出來。雙方覺得合適也合算，就換。不合算拉倒。另找一個人換。”

我興高采烈地告別了小羅姐姐。她給我上了一堂最有用的課。

夜裏沒睡安穩，醒了好幾次看鐘。幸好這個小鐘走得挺好，沒被紅衛兵摔壞。既然說天麻麻亮有早市，那我必須在天亮之前起床。這樣進公園才不會被發現。

我鐘點踩得比較準。天沒亮時翻過院墻，到東門口大道邊的那排冬青樹後面，等了不到十分鐘，環衛工人就打開了大門，開始掃地。我趁他們不注意溜出了大門。這時，大門正對著的東方紅大道的盡頭，天邊露出絢麗的朝霞。

果然，挑擔子的，推車的，挎籃子背口袋的人，從三面過來，在公園門外小廣場的地上排成一圈，攤開等待出售的農產品和手工製品。一批拎著小籃子，推著自行車，車把上掛著空包的城市居民，像是尾隨他們一樣也來到這裏。這些人彎腰看地攤上的貨，小聲地討價還價。熱鬧的場面中帶著一點神秘。

昨晚我一直拼命地想：清晨的“自由市場”上會有些什麼我需要的東西呢？糕點別想，農民哪兒會做糕點。水果？冬天不會有水果。燒餅油條？他們總不會把爐子和油鍋搬到公園門口吧？那麼，只剩下小羅姐姐說的饅頭和包子了。當然，郊區農民種菜。一定會有白蘿蔔、胡蘿蔔和山芋什麼的。我昨天吃的生山芋，好像就是過去章阿姨幫我們從早市上買來的。對，難怪小羅姐姐說到“早市”我覺得耳熟。其他可能會有的能吃的東西，我一個也想不出來。

今天早晨，我可大開眼界了：家裏做出來的食品，除了饅頭和包子，還有油炸的饊子和果子，炒熟的花生、瓜子和黃豆。有煎餅包油條和糍粑包油條！

唉，沒錢啊。不知道小羅姐姐出的“換”的主意行不行。

換什麼呢？饅頭是最便宜，也是最能放久的。我走到一個挎籃子賣饅頭的大女孩跟前，照著小羅姐姐教的辦法問，“饅頭多少錢一個？” “都是 5 分啊，少了不賣。” “我能拿東西跟你換饅頭嗎？” “什麼東西？” “毛衣，我媽的毛衣。上海貨，跟新的一樣。”

她翻了我一眼。“我哪有穿上海毛衣的命？”

“給你媽穿呀！” 我急了。

“我媽死了！……要不然，輪到我這麼一大早出來賣饅頭嗎？你不買，一邊去。”

“大姐，你總有需要的東西嘛。你告訴我，你要什麼？”

“我要錢！要錢給我爸爸買藥。他整天咳，都快咳死了。”

我眼睛一亮。“我家有止咳糖漿！跟你換十個饅頭吧。” “糖漿？真的假的？” “我騙你不是人！上面有國營藥廠的商標。我們家買了還沒用的。你以為我會做糖漿啊。”

她遲疑了一下。“拿來看看。真的糖漿，我跟你換 5 個饅頭。”

“五個？五個誰跟你換。一塊多錢一瓶哩。是高級糖漿。”“去！糖漿七毛五一瓶。你以為我不知道？這麼小就會騙人。”“不騙你。糖漿和糖漿不一樣。那這樣吧。八個饅頭，少了不換。”“好吧。你現在去拿還來得及嗎？”我看看天色，裝得很老練的樣子。“民兵快來了。明天早晨吧。”“好。”

我轉身離開。一轉身就忍不住笑了。事情這麼簡單就辦成了！而且，我為自己機靈的表現很得意。我哪兒知道糖漿多少錢一瓶啊，瞎蒙的。只不過，但願家中櫃子裏的糖漿瓶沒有被紅衛兵砸碎了。

我想用同樣的辦法換了一些山芋和蘿蔔之類。但是往下運氣就沒那麼好了。賣菜的農民叫我別搗亂，態度還很兇。不過這些東西的價錢我知道了。我只有兩毛錢，不能亂用。很快，賣東西的開始忙著收攤。他們的動作快得驚人。我也嚇得進了公園大門。果然，早市上的人前腳走，帶著紅袖章的執勤民兵後腳就到了。

我沒有著急回家，心情愉快地在大街上逛。經過三中大門附近時，看到校長、主任還有一些老教師掛著牌子帶著白袖章，站成一大排“示眾”。我遠遠地看著，沒敢過去。媽媽不在他們中間。媽媽是被關在別的地方了。蔣貴花的媽媽方阿姨說得沒錯。清晨的好心情就這樣消失了。

但是，一個信念卻出現了：我一個地方一個地方找，總能找到媽媽的。蔣叔叔說，我媽媽被抓，一是因為她有“特嫌”。我的外公外婆不是在臺灣嗎？二來，造反派總覺得包爺爺投江自殺的事很蹊蹺，懷疑是爸爸做了什麼手腳。他們關押我媽媽，是給我爸爸施加壓力。

怎麼找呢？記得家裏有一張江安市地圖，不知有沒有被搜走。如果還在，我就照著地圖一條街一條街地找。其實，今天就可以開始，先從東邊的東方紅大道找起。

我回到人民公園東門，從左邊往東走，凡是能進的大門和院子我都進去看看。走到頭再從另一邊回來。有昨天晚上小羅姐姐給我吃的那碗油水足的面條墊底，直到中午才覺得餓了。今天找媽媽的行動就此結束。是個好的開頭。

當我從後窗鑽進廚房之後，第一件事就是把那棵蔫了的黃芽菜扒下幾片葉子，洗幹淨，用刀切成絲，拌上點醬油，滴上幾滴花生油。嘿嘿，真好吃。

止咳糖漿找到了。地圖也找到了。我用鉛筆在東方紅大道上打了一個x，表示找過這條街了。但馬上想到：在“東方紅”上打叉，那不是現行反革命罪嗎？不得了，趕快擦掉。幸虧沒用鋼筆。

下午看書，晚上沒出去。累，也餓。又吃了幾片黃芽菜。

第二天清晨，如願地用止咳糖漿換到了八個饅頭。饅頭裝在我的小書包裏鼓鼓囊囊的，摸著心裏頭就舒服。我從東方紅大道和過去“三合街”現在叫“前進大道”的交叉口往南，繼續我的找媽媽計劃。吃了一個饅頭，還是餓得不行，只好回家。我意識到這樣找不行。媽媽只能關在某個單位，順著大街肯定找不到。我得回去研究地圖。一個一個單位找才是正確的方法。如果連關媽媽的地方都找不到，我還是老偵察員老公安尚和的兒子嗎？

第四天晚上，我又去找小羅姐姐。去得比較晚，估計那時候已經沒有什麼顧客了。果然，鄧大媽和小羅姐姐坐在飯廳裏聊天哩。我叫了一聲“鄧大媽，小羅姐姐”，她倆笑了起來。鄧大媽說，“說曹操，曹操就到。估計你是想喝面湯了。”小羅姐姐說，“他還一定會說是想我們了。” “想你還差不多，沒人想我這個老太太。”她倆逗著樂子。

我說，“我確實是想你們了。現在這個世界上只有你們對我好。”

“嗯，就沖你的嘴這麼甜，也不能讓你白來。進進，過來坐著，我給你拿吃的去。” 鄧大媽起身去廚房，一轉眼給我端出來一碗東西。“鄧大媽，我不能吃你們飯店的東西。” 我連忙聲明。她說，“你小子運氣好！這是今天一個客人吃剩下的。好家夥，他一個人點了兩大碗白米飯三個菜！哼，肯定這錢來路不正。他沒吃完。我想，要是這麼糟踐，還不得遭雷劈？這就想起來要面湯喝，叫小羅‘姐姐’的進進。特地給你留下了。吃吧，小子，看你餓成這副熊樣，不會嫌飯是別人剩下的吧？”

我一聽高興壞了，端過鄧大媽手裏的碗就吃， 嗯 ……裏面還有肉！上次吃肉是什麼時候？那還是蔣師傅在我家門口找到我，給我的包子裏面有一點肉餡。哇，這麼一大碗，太過瘾了！

“可憐啊，看把這孩子餓的。進進，你爸爸呢？”鄧大媽問。“關起來了。” “什麼罪名啊？”

小羅姐姐不樂意了：“哎呀，不是告訴你‘反動學術權威’嘛。鄧大媽你問什麼問。進進不願意說。”“哎喲，你瞧，這還護上了。我問問情況，也好幫著進進想想往下怎麼混，什麼時候是個頭。進進，那你媽……?”

“鄧大媽，” 我看看她倆，覺得她們都是為我好。三中和公檢法大院裏到處都是大字報和標語，告訴她們不也就是多兩個人知道嘛。“我的外公外婆在臺灣。”

她倆一副恍然大悟的樣子。“我猜的沒錯吧！” 鄧大媽憤憤地說，“你說這些人啊，跟老蔣跑到臺灣去了，要不跑到香港去了，把家裏人留在這裏幫他們背黑鍋。我們院子裏那個馬嫂子，一個人帶著三個孩子。丈夫跑了。她過的是什麼日子?

這還不算。紅衛兵從她家抄出她那個穿著國民黨軍服的丈夫的照片。那女人被拖到院子裏被打得死去活來。紅衛兵用滾開的水活活澆在她身上……” “鄧大媽你別當著進進說！” “哦，對。我一說到這事就忍不住。”

我放下碗哭起來，只是不敢出聲。

“不哭，不哭。鄧大媽給你賠不是。” 鄧大媽把她的圍裙解下來給我擦淚。“唉，小羅，你幫我勸勸進進。我到廚房去了。”

等我安靜下來，默默地把一碗飯菜吃完，小羅姐姐又盛了大半碗面湯給我。“換到吃的了吧？” “嗯。” 我把止咳糖漿換饅頭和賣菜的不理我的事都說了，還告訴她我發現黃芽菜可以生吃，也能管飽。

“我先跟你說重要的事：可別老在公園東門口混。” “為什麼？” “那兒擺地攤的就那麼幾個人。你老是問人家換不換東西，人家會把你當小偷看。” 噢，我怎麼就沒有想到呢？

“還有，這些人裏面，有一半都是城裏人。比如那個拿饅頭和你換止咳糖漿的，不就是城裏的嗎？城裏人比鄉下人精明。你容易上當受騙。” “那我去哪兒？” “咦，我不是告訴你，汽車站那邊有個最大的早市嗎？” “好。明天一大早我去那兒。” “那麼遠，去一次也不容易。你把東西帶上。現在你算是有經驗了。” “好。”

“公園這邊哩，也有它的好處。來這兒的鄉下人如果菜沒有賣掉，帶回去吧，這麼遠的路不方便。你可以在他們收攤的時候，拿幾分錢買到你想要的東西。” “對呀，我怎麼就沒想到。” “我說過，你們知識分子家的孩子笨。”

我倆都笑了。

“小羅姐姐，你能幫我換一些鋼鏰嗎？這樣，我就給他們兩分錢，買一個大蘿蔔或者大山芋。” “好，我給你換。換一毛錢是不是？”“兩毛。我有兩毛。”她從衣兜裏掏出一把鋼鏰，數出兩毛錢給我。我把兩張“一角”的紙幣遞給她。

“進進，你別怪鄧大媽。她心好，就是嘴碎，愛說。”

“我不怪她。你告訴她，我謝謝她給我留的飯和菜。這碗吃飽了，明天一天都能扛過去。小羅姐姐，我走了。”

“回吧。你隔三差五地來一趟。估計你會來，我們就把顧客沒吃完的飯和菜給你留下。”“謝謝姐姐，幫我謝謝鄧大媽。”

我滿意地回去了。

第十二章

我腦子裏整天想著怎樣找到媽媽和怎麼活下去。蔣叔叔不是告訴我，爸爸是異地關押嗎？那媽媽一定關在江安某個地方。其實我也知道，就算找到了媽媽關押的地方，我也很難見到她的面。那我不管，我還是要找。如果找到關押媽媽的地方，造反派不讓我見怎麼辦？那我就大聲地叫媽媽，每天都去叫。

我身上只有從蔣奶奶那兒拿的兩毛錢。自然每一分錢都特別金貴，輕易不能花掉。到江安汽車站的早市，我是走去走回的。家裏可以拿出去換食品的東西並不多。每次我都會拿兩件東西出去。一件是未必有人願意換的，如手套鞋襪圍巾衣服之類。另一件是肯定能換回一點吃的東西，如肥皂、草紙、白糖等家用必需的憑證供應品。我把家中罐子裏的白糖小心地用紙袋分包起來。帶著這些東西，可以避免空手而歸。最後，就連過去媽媽洗衣服剩下的半塊肥皂和用剩下的十幾根火柴都成了交換品。我把東西放在小書包裏，上面再放一本《毛主席語錄》和“老三篇”單行本。有一次民兵包圍早市突擊檢查。他們有人懷疑，我這麼小為什麼會出現在早市上，讓我打開書包接受檢查。幸虧有毛主席的紅寶書做掩護。我告訴他們，老師讓背誦“老三篇”，我每天起早背。到早市是因為肚子餓了，想買點吃的。

看著那些穿得破破爛爛的農民，在寒風中凍得哆哆嗦嗦的，苦苦哀求民兵不要沒收他們指望換回一點救命錢的東西，我覺得他們真可憐。可憐的人太多了，我只不過是其中的一個。而我還不得不想方設法地占他們的便宜。

家裏並沒有多少存貨可以拿出去換吃的東西。小羅姐姐說，書可以當廢紙賣啊。要是有銅器，拿到廢品收購站能賣不少錢。空牙膏袋 2 分錢一個。她不知道我住在被封了的家裏不可以暴露。書那麼沈，我又能帶幾本書翻過高墻呢？可是，錢一分一分地用光了。最後，我不得不把牙膏全部擠在一個空紙盒裏，再裝上一書包的書，到廢品收購站，一共賣了 9 分錢。眼看我就混不下去了。

江安市所有機關院校我差不多都去過了，沒有集中關押牛鬼蛇神的地方。在師院，我在旁邊沒有人的情況下，壯著膽子問一位年紀大的奶奶。她說，現在運動初期整的人基本都放出來了呀。你媽媽問題嚴重嗎？哎呀，那可就不知道了。她看我哭了，從衣兜裏摸出 5 分錢塞在我手裏，嘆了口氣，匆匆地離開了我。

就這樣，我熬到了陰歷臘月。天寒地凍了。我對找到媽媽幾乎絕望，常常一個山芋分做兩天的口糧。我不出門，用被子裹住身體抵禦寒冷。有一天，天剛剛擦黑，我聽到院子裏有輕輕的腳步聲，立刻屏住氣息。有人來到大門口停了一小會兒，又迅速離開了。

等四周重歸寂靜，我拿起手電筒來到大門口。門縫下躺著一個小紙卷。我的心嘭嘭地跳動起來：剛剛那個來人一定是蔣貴花！她帶來了我媽媽的消息！

打開小紙卷，借著手電筒的光亮，蔣貴花那一筆一劃的字特別醒目："蕭老師有消息了。見字來我家。"

我一刻也等不得，戴上蔣叔叔那頂黑線馬虎帽，鉆出後窗，經廚房屋頂上墻，從桑樹爬下，往蔣師傅家疾步走去。當然，在每一個路口，還是要停下來小心觀察四周，確信沒有人看見才快步向前。這樣，幾乎是踩著蔣貴花的後腳跟跨進了他們家，把他家四口人都嚇了一跳。我迅速地關上門。聽到他們異口同聲地叫了一聲“進進！”我的淚水便止不住地流下來。

擦幹了眼淚，接過那個熟悉的印有“為人民服務”五個紅字的搪瓷杯，喝了裏面的熱水，回答了他們關切地詢問。方阿姨和蔣叔叔輪著告訴我，他們是如何打聽到我媽媽關在哪兒的消息的。蔣叔叔不放心，親自騎自行車去了一趟“江南農學院大龍山分校”。證實了我媽媽和許多“有重大問題”的“牛鬼蛇神”自 11 月便關押在那裏。

“我能去看媽媽嗎？”我迫不及待地問。

“不能。” 蔣叔叔搖搖頭。“我問過，答復是不讓家屬看望。” 蔣叔叔請了一個在農學院工作的戰友幫忙問了那裏的看管人員。看管牛鬼蛇神的造反派說，在這些人的“問題”沒有調查清楚前，誰也不能見。

“那怎麼辦呢？”我的眼淚又要掉下來了。

“不著急。進進不要著急。我們一起想想辦法。”他們一家人都安慰我。

蔣叔叔說，大龍山分校的校園沒有多麼大。他找到了關押這些人的地方。而且他還打聽清楚了，這些“牛鬼蛇神”每天清晨會被押到磚瓦窯廠去做土坯，傍晚才被押著回來。我們可以在他們回來的路邊等著。蔣叔叔說，“不過，你想走到你媽媽跟前說說話是不可能的。你們母子倆只能互相看上一眼，讓你媽媽知道你活得好好的，放下心來。這事絕對不能讓造反派發現。他們一旦發現，不僅你媽媽得遭罪，還會連累告訴我消息的戰友。你懂嗎？” “懂。”

蔣師傅又說：“大龍山太遠，你一個人去不了。這樣，後天我輪班休息。我借一輛自行車，帶你去那裏。我們中午去，晚上回。因為去早了沒用。我們不能找到磚瓦廠去，那裏忽然出現兩個陌生人太引人注意了，只能等在路邊，見機行事。”

那天晚上和第二天，我象熱鍋上的螞蟻，坐立不安，想像著種種見到媽媽的場景。想著想著，迷迷糊糊地睡著了。夢裏，我被一大群戴著紅袖章拿著棍子的人追。

第三天中午，按照約定好的時間，我和蔣叔叔在江安汽車站門口見面。城裏熟人多，如果有人看到我們倆在一起，怕是會有麻煩。從江安到龍山鎮每天有一班市郊長途客車，上午發車，但是那班車去了就返回。我們要等到傍晚，又不可能在大龍山過夜，所以蔣叔叔騎車帶我去，時間上自由一些。

我很擔心蔣叔叔那條受傷的腿能不能騎車，他說，“我走路瘸，騎車倒是可以。你看。” 他一瘸一拐地推著車，逐漸加速，身體像跳舞那樣貼著自行車起伏著，然後，像玩雜技那樣縱身一跳，屁股便坐上了自行車座。他看我跟著車跑，問：“進進你能跳上來嗎？” “我會跳！” 我跟著車跑，手抓著車座，一縱身跳上車後架。過去看小五子跳上他哥哥行進中的自行車後架，很羨慕，學會了這一招。現在派上用場了。

路上蔣叔叔問了我今後的打算。“進進，你夠機靈的，居然想到從後窗爬進家裏。可是，你沒有生活來源，家裏可以拿出去換食品的東西畢竟有限，長此以往不是個事兒啊。” “嗯，我知道。” “總得想個辦法。” “嗯。” “你在外地有親戚嗎？” “沒有。我爸爸四歲就成孤兒了。過去部隊就是他的家，黨就是他的親人。可是，親人不要他了。” “你這孩子！這話可不能跟其他人說，夠上反動言論了。” “我知道。” “那你媽媽家的人呢？” “外公外婆解放前到臺灣教書去了。把我媽媽留在北京，跟著她奶奶。媽媽的奶奶前兩年死了。”“難怪嘛，我是聽說你媽媽有港臺關係。”

我們半天都沒說話。蔣叔叔又問：“為什麼你外公外婆不帶你媽媽一起走？” “我媽媽說，他們原先打算到臺灣把家安好以後，再接我媽和她奶奶過去的。可是，第二年大陸解放，他們的聯系就中斷了。” “哦，是這樣。幸虧你媽命好，遇上你爸爸。可是，她現在被抓住不放，也是因為你爸爸。”

“蔣叔叔，為什麼我媽遇上我爸爸又好又不好呢？” “你這麼小，哪兒能懂？我跟你說，你爸爸啊，根紅苗正，八九歲就參加紅軍，出生入死，戰功累累。他生活作風上還很正派，從來不犯錯誤。你媽媽嫁這麼一個人，能吃虧嗎？” “可是，他們現在不是倒楣了嗎？”

“你爸爸這次栽了，栽在他太仁義。” “是因為保包爺爺嗎？” “是啊。” “那，包爺爺為什麼被批鬥，被打成重傷？” 蔣叔叔嘆了一口氣。“其實包省長也是根紅苗正。他的父親還是共產黨的創始人之一，革命烈士。” “那為什麼 ……？” “唉，我們平頭老百姓哪能搞懂上面那些大人物的事情。”

蔣叔叔都搞不懂，我就更不懂了。

蔣叔叔說，“但是，等運動一過，你爸爸肯定沒事。你包爺爺要是不死，也還是會繼續當他的大官。因為共產黨就是他們，他們就是共產黨。你想想啊，過去哪一次運動整的不是不同階級的人？黨內就算有幾個挨整的，那也不能像現在這樣，把各級領導全給打倒了。有這麼換江山的嗎？換了使筆桿子的人上臺能放心嗎？壓得住臺嗎？不會的。整整這些有功之臣，是殺殺他們的威風。到時候……” 他忽然停下來不說了。

“蔣叔叔，到時候會怎麼樣？” 我聽得正來勁。“嗨，我跟你說這些幹什麼？進進，這些話你可千萬別說出去。夠打我一個現行反革命的。我是想讓你放心。等運動一結束，你爸爸肯定沒事。” “那我媽媽呢？” “你爸爸沒事，你媽自然不會有事。誰會有事呢？聶文龍和韓興旺！他倆一個挨槍子兒，一個坐大牢。你就看著吧。”

我們是下午一點左右離開江安汽車站的，一路往南，進入丘陵地帶。上坡時，蔣叔叔騎得很吃力。我就從後座跳下來，推著後座往上跑，到了平地和下坡再跳上後座。冬天路上人不多，車也不多。到了龍山鎮。蔣叔叔問路旁一位帶手錶的伯伯幾點了。那人看了看表，“三點半。” 蔣叔叔說，“還早。我們提前吃點東西，看到你媽媽以後，趁天還亮趕緊回江安。” 他帶我進了一家小飯鋪，要了一碗面給我吃，自己要了碗不要錢的面湯，吃自己帶的饅頭和鹹菜。我讓他吃面，他不理睬我。

江南農學院大龍山分校離鎮子不遠。蔣叔叔把車存在飯鋪。他帶著我走進沒有圍墻的校園。我們轉到後面，在一個裏面有一排房子的院子前面，蔣叔叔告訴我，江安市有重大問題的牛鬼蛇神就關押在這裏。院門平時都是關著的，裏面有造反派值班看守。

“你不是說他們在磚窯廠，我們在路邊等他們嗎？” 我著急了。

“是啊，可是現在還早。進進，我現在跟你說好了：看到你媽媽千萬別叫。我們也不能靠得太近，只要你媽媽能看到你就行，但是不能引起造反派的注意。”

“如果我媽媽看不到我們呢？”

“你放心。一定能看到。”

“然後呢？”

“唉，……” 蔣叔叔的眼圈紅了。“然後，……你就繞到他們住的這排房子後面去。這排房子有三個後窗，位置都很高，也不大。但你媽媽一定會千方百計地爬到視窗張望，希望能看到你。”

從窯廠到校園只有一條能拖板車那麼寬的小路。但是，蔣叔叔說不能站在路邊。“你媽媽可沒有思想準備。如果她看到你，腦子一熱，不顧一切地沖過來，挨一頓打不說，弄不好我們倆都會給抓起來審問。” 我點了點頭。是啊，不能連累蔣叔叔。如果他為了我們家被抓，那他家可就完了。可不會有人帶著蔣奶奶、方阿姨和蔣貴花跑上老遠去看一眼蔣叔叔。

於是，我們倆走到和小路隔著兩塊田的田埂上，蹲了下來。

磚窯廠方向，一隊人出現在視野之內。我剛想站起來，蔣叔叔一把摁住了我。“別慌，等他們靠近了再站起來。一旦你媽媽看見我們，我們馬上離開。”

激動、緊張、害怕。我的心“嘭嘭”亂跳。

那隊人走近了。一個個彎腰駝背，衣衫襤褸。當我從那隊人中認出媽媽的時候，我“呼”地站起來，大聲喘息著，全身不由自主地顫抖著。蔣叔叔緊緊抱住我，緊張地看著我的過度反應。

媽媽像是被人用棍子戳了一下似的，全身一震，猛地轉過身來。她看到我們了！我的眼光和媽媽的眼光撞擊在一起。我“哇”地大哭起來。蔣叔叔一下子捂住我的嘴，將我強行抱走。我完全喪失了理智，兩腿在空中亂蹬，拼命地掙紮。

在別人眼裏，或許只是大人用粗暴的方式對付小孩子的胡鬧。至於為什麼鬧，誰管這些閑事哩。一直等過了灌溉渠，蔣叔叔才把我放下來。他也大口喘著氣。天氣這麼冷，他的臉還是憋得通紅，汗珠從額頭上滲了出來。

“蔣叔叔，對不起。”

“進進啊，我就知道你忍不住！還好啦，有驚無險。這樣，我們才能執行下一步計劃。你可不要怪你蔣叔叔心狠。”

“我知道。是我不對。”

“好，不說這個了。可憐你媽媽這會兒是安不下心了。你平靜下來。我們到關他們的房子後面去。你能答應我，只看不出聲嗎？” “能。” 我鄭重地點了點頭。

“你如果一叫喚，就把我也搭進去了。知道嗎？” “知道。那蔣貴花就見不到爸爸。蔣奶奶和方阿姨也要哭死了。” “你說這話，我就放心了。你一個人過去，我在不遠處給你放哨。有造反派過來，我就喊：狗蛋，死哪兒去了？回家吃飯！” “我不是狗蛋。” 說完，我破涕為笑。蔣叔叔也笑了，“我是罵造反派狗蛋。”

“我媽媽會爬到窗口等我嗎？” “放心，她一定想盡辦法。她認出了是我帶你來的，知道我們絕不會就看這麼一眼就罷休了。”

我們繞到那排房子的背後。這裏有一小片松樹林，樹不高，但是能把我給遮擋起來。蔣叔叔在樹林邊的一塊石頭上坐下，我穿過小松林來到房子後面。松樹林和房子的後墻有兩三米的距離。我從一邊走到另一邊，數了數一共有三個小窗戶。窗子比我家廚房的窗子還要高一些。沒看到媽媽。蔣叔叔關照我，牛鬼蛇神回來以後還要被訓話，所以不要著急，耐心等著。我不知道媽媽會趴到哪個小窗上，決定站在中間那扇小窗下麵，盡量往小松林這邊靠，這樣可以觀察到兩邊的小窗子。我反復對自己說，看到媽媽一定不能出聲，用手比劃就夠了，不能連累到蔣叔叔一家人。

心裏著急，覺得時間過得真慢，好像已經站在這裏很久很久了。不知怎麽的，我有點喘不過氣來，上牙和下牙也打起顫來，用手掐住腮幫子都不管用。好在我的眼睛還管用，輪流地盯著三個小窗口。突然，左邊小視窗出現一個影子。我飛奔而去，越慌越出亂子，“吧唧”被樹根絆了個大跟頭，立刻爬起來，不管不顧地沖到左邊小窗下。

我看清了小窗後面媽媽掛滿了淚珠的臉，拼命地向她揮手，連自己也不知道想要表達的是什麼。媽媽抹去淚水，艱難地笑了起來。我也抹去臉上的淚水，目不轉睛地看著媽媽。媽媽變得又黑又瘦。頭發鬆散，失去了光澤。眼角有了明顯的皺紋。

她的嘴唇和臉頰抖動著，含著淚水的眼睛緊緊地盯住我。她一定有好多好多的話想跟我說。

我也有太多的話要跟你講啊，媽媽！我會自己照顧自己了。是我自己想的辦法從後窗鉆進家藏起來的。我把你的《鋼鐵是怎樣煉成的》都看完了。我會用家裏的東西在早市換吃的。還有，蔣叔叔一家，小羅姐姐和鄧大媽都幫助我，......我天天都在找你啊，媽媽！

想到媽媽被抓走時一定看到我頭跌破了昏倒在院子裏，我一把摘下頭上的帽子，把頭發往後攏，讓媽媽看我頭上的傷口好了。媽媽點頭微笑，眼裏的淚水卻流了下來。她突然扭頭看了一眼，然後在小窗玻璃上哈了一口氣。玻璃模糊了，她用手指頭寫下四個字："找奶奶去！"

是讓我去找唐奶奶！我使勁地點頭。媽媽用手抹去窗玻璃上的水汽和字，再哈一口氣，寫了："老鼠"……，只聽見裏面有呵斥聲，她順手一抹窗玻璃，接著人就消失了。肯定是監管她們的造反派來了。我立即轉身往松樹後面跑。等了幾秒鐘，再往小窗口張望，沒有任何動靜。媽媽是不可能再出現了。我還是走吧。

媽媽幹嘛要寫"老鼠"？想起來了。在爸爸媽媽被抓的前一天夜裏，媽媽到我床邊，告訴我廚房裏被堵起來的老鼠洞。說老鼠會把東西藏在洞裏準備過冬。這個冬天會很長。她會不會把什麼東西藏在那裏？我雖然不敢肯定，但也覺得這是很有可能的。那天吃晚飯的時候，公安廳的金叔叔來我們家，悄悄地和爸爸說了幾句話。可能是告訴爸媽，他們會被抓走。他們能夠做的，也就是把手頭的錢和糧票藏起來留給我。否則家裏怎麼找不到錢和糧票呢。我過去以為是他們帶在身上或者給紅衛兵搜走了。

蔣叔叔看到我從松樹林裏走出來，立刻迎上來，關切地問："怎麼樣？看到你媽媽了嗎？" 我點點頭。"那就好。有人發現你們見面嗎？" "沒有。嗯……裏面有人大聲叫喚，我媽媽就離開窗子了。裏面的人肯定沒發現我。蔣叔叔，我跟媽媽就是點頭和揮手，一句話都沒說。”“唉，難為你們母子倆了。進進，既然裏面有人看到你媽從窗子裏向外看，你也就別再回去了。你媽媽看到你和我在一起，知道有我們家幫助你，也會多多少少放心一點。這趟沒白來。天眼見著要黑了，我們還有好幾十裡山路，得回去了。”

第十三章

我自己也說不清楚為什麼沒有把媽媽在小窗上寫的字告訴蔣叔叔。而且，從大龍山往江安城裏騎行的一路上，我們說的話很少。天很快就黑下來了，天地之間黑乎乎，冷颼颼的。道路兩邊一片寂靜，只聽到自行車胎和砂石道路摩擦的聲音。

回程的下坡多，蔣叔叔騎得很快。快要進城的時候，他停下車，從衣兜裏掏出兩塊錢遞給我。“進進，這兩塊錢你先拿著，等下次發了工資我再給你錢。” “蔣叔叔，我不要，我……” “聽話，拿著！” 我接過錢。“謝謝。那，蔣叔叔，你把我放在人民公園的東門口就行。” 我把黑線馬虎帽的邊拉下來遮住臉。“好。” 他繼續蹬車。

我輕車熟路地翻過院墻，從後窗爬進家中。一進去我就找到手電筒，迫不及待地趴在廚房地上尋找墻角用磚堵起來的老鼠洞。咦，我明明記得那個老鼠洞在窗下左邊靠墻角的地方，怎麼看不到了？再仔細查找，才發現墻磚上的細縫。一定是爸爸重新做了掩飾！我把菜刀的一角插進那條細縫，用力一撬，堵洞的磚塊被撬開。我幹脆整個身子都趴在地面，用手指伸進洞裏，觸到一個紙包。嗯，手指短一節，勾不出來。用筷子！我一手拿一隻筷子，從洞兩邊小心翼翼地伸進去，再並攏，往外拉，拉到洞口再一撥，出來了！我屏住呼吸，打開紙包，裏面真的是錢和糧票！

手捧著那個紙包回到我自己的小屋，靠在墻角地鋪上，我反反復復地數著，一共有 56 元 7 角錢，還有 14 斤 6 兩糧票。其中有 5 斤是全國流通糧票。包錢和糧票的紙上有媽媽寫的字：

“進進，多麼希望不等你找到這些錢，我們就會回家。你是革命軍人的後代，要學會堅強！去找唐奶奶。不要告訴任何人！ 愛你的 爸爸、媽媽 ”

看著這些字，我的淚水又止不住流了下來。

我決定立刻到香河縣去找唐奶奶。其實，我不是沒有想過。每次去汽車站那兒的早市，我都會進候車室去看“長途汽車時刻表”。江安到香河的班車，冬季是早晨8:00發車。可是，一來我沒有錢買汽車票。二來，我想在家等到爸爸媽媽被放回來。現在買票的錢有了，媽媽也已經看到我，並且讓我去唐奶奶那裏，我還等什麼呢？一個人躲躲藏藏，忍饑挨餓，孤孤單單的日子太難熬了。我決定明天一早就走。

爸爸媽媽讓我不要告訴任何人，當然也包括蔣叔叔一家，這肯定有他們的道理。可是，蔣叔叔他們一直在幫助我，不告訴他們，他們會不放心，也太沒有禮貌了。我想了想，給他們家寫了一張紙條：

“蔣奶奶、蔣叔叔、方阿姨：我決定離開江安市，去找爸爸的老戰友。請你們放心！ 進進”

我知道這次去了唐奶奶那裏，可能會住很久，直到爸爸媽媽去找我。於是找出許多衣服想帶走。可是轉念一想，這麼多東西怎麼拿出這個大院啊？還不如把所有能穿在身上的都穿在身上，只把我的小書包塞滿帶上就行了。

收拾好東西，我鉆出後窗，摸黑到了蔣叔叔家。我沒敲門，也沒把紙條塞進門縫。走進他家外面做飯的小棚子，把紙條放到鹽罐子裏。這樣，明天蔣叔叔和方阿姨上班以後，蔣奶奶做飯的時候才會發現。一旦發現這張紙條，她一定會讓蔣貴花唸給她聽。

這一夜，我只迷迷糊糊地睡了一小會兒。

多虧了近兩個月來在早市上跟人討價還價的鍛煉，我同陌生人打交道已經很老練了。排隊買票輪到我，我踮起腳尖，把手伸進窗口。“買一張早晨八點發車到香河的票。” 售票員接過錢，在把車票和找的零錢遞到我手上之前，她還是遲疑了一下。“小孩，就你一個人去？” “是啊，放寒假去奶奶家。我爸出差，我媽工作忙走不開。”她把票和零錢給了我，嘴裏嘟囔著，“這麼小的孩子，當媽的也能放心。”

檢票口的人倒是沒有難為我。可能是旅客鬧哄哄地往前擠，他們的注意力都在維持秩序上。而且，上車的也不止我一個小孩。

這一路上我都在想：去青崖鎮還是象三年多前一樣，一清早開船嗎？那我今天晚上住在哪兒？住旅館根本不可能。我既沒有工作證也沒有單位介紹信。再說，哪有小孩子一個人住旅館的？那我去縣委大院找毛叔叔，或者張叔叔？不行，不行！他們當縣委書記和縣長的都是香河縣最大的走資派。還有，爸爸媽媽不是說，不要告訴任何人嗎。同樣的道理，傳達室的顧爺爺也是不能去找的。再說，誰知道顧爺爺是不是也參加了造反派。

還有一個辦法，那就是在汽車站，或者客運碼頭的候船室裏混一個晚上。我每次到江安汽車站那邊的早市換東西，不管多麼早，車站候車室裏都有不少人。我想那都是沒趕上班車，又沒有錢住旅店的人。還有，早班車那麼早，那些住在大老遠的鄉下人，還不得頭天晚上就到車站等著？這麼一想，我就不著急了。如果夜裏車站不讓待，我就去船碼頭。船碼頭不讓待，我就去車站。如果執勤的民兵問，我就說放假了，從江安去看奶奶的。反正他們也不認識我，也查不著。對，我的真名字也不能告訴別人。唐奶奶一直叫我“金伢子”。別人如果問起來，我就說我叫金伢子。

車上香河縣的人居多。我們家在香河時，我和爸爸媽媽說普通話。但是唐奶奶只會講香河話。院子裏其他小朋友也說香河話。聽車上的人說“蘭伢子”（男孩子）“呂伢子”（女孩子），“果連有漏七”（過年有肉吃）我感到很親切。我想，從現在起我就應該說香河話。這樣別人就不會想到我是從江安跑出來的一個走資派家的孩子。把自己變成一個香河青崖公社大山裏頭的人，我就安全了。

下車後，我試著用香河話問去洪山湖客船碼頭怎麼走。口音還是不太像。管他哩，剛開始嘛，說說就像了。心裏著急，顧不上看街道兩邊大紅的標語和排隊買東西的人，我一路小跑來到碼頭。

碼頭的樣子基本沒變。售票處那裏圍著一群人吵吵嚷嚷的。“冰都化了，你們還找什麼藉口？”“你們這就叫為人民服務嗎？”“開船，開船！我們從昨天早晨就等在這裏了。”“再不開船我們要造你們的反了！”

大門前臺階上站著一個中年婦女，用雙手拚命捂住耳朵。後來幹脆閉上眼睛。

這時候，一個穿軍裝，身材高大的人擠到最上面一級臺階，轉過身來，雙手往下壓，製止住大夥兒激動的質問，扯著大嗓門說：“大家安靜一下！這樣子解決不了問題嘛。我們選一個代表跟客運組的同志說話好不好？”

四周的旅客不鬧了。“好。就選你好了。”“同意！”“選你！”

這個叔叔的軍裝上面有四個兜，說明他是部隊幹部。看他說話的架勢，像個政工幹部，沒準是連隊指導員。

“指導員”把那位阿姨捂著耳朵的手拉了下來。“我說同志，湖面結冰開不了船，我們理解。可是現在冰化了。為什麼還不開船呢？”

那位阿姨說，“解放軍同志。中午這會兒，我們北岸這邊的冰確實開始化了，但是南岸山腳下的冰肯定沒化。船到了那邊也開不進香水河。”

“指導員”做她的工作：“氣溫還在升高，是不是？船開到那邊，冰也就化了嘛。年關近了，我們這些外地回家探親的工農兵不容易啊。趕了這麼老遠的路，到了家門口，過不了湖，進不了山。怎麼能不著急呢？你們能不能克服一下困難，想人民所想，急人民所急？” “是啊，是啊！” 周圍的旅客都在附和。

“大家的心情我們能理解。” 客運組的阿姨滿臉無奈地說，“可是，天氣預報說，今天下午還要降溫。我們就算開出去，也回不來。”

“就算降溫也會有個過程。時間來得及啊。” 指導員也急了。“你們難道想讓這麼多群眾再等兩天。我們總不能到了家門口還跨不進門。在你們候船室的板凳上乾坐兩三天，然後買車票趕回去銷假吧？” 周圍群情激憤。“不行！一年就這麼一次假。” “開船！別找藉口！” “再不開船，我們要造反了！燒了你們這幾間破房子！”

那個阿姨頂不住了。她雙手作揖，“好，好，我們商量一下。”

周圍的人喊，“跟誰商量？把管事的人叫出來，有話當面說！”

阿姨拉開門，“老右，快出來！你給群眾解釋。”

一個戴眼鏡，頭頂上只有半圈頭發的中年男人出現在大門裏面。他左臂戴著一個白布做的袖章，上面有“右派分子 胡立言”。他小心翼翼地解釋：“中央氣象臺昨晚報道，北方一股強冷空氣南下，長江中下遊地區，包括我們江南省，今天下午到晚間就會受影響。有據可查，有據可查呀！”

人群裏一個工人模樣的叔叔氣憤地指著胡立言：“你睜著眼睛說瞎話！這麼好的天氣你說要降溫。喂！你們客運組誰說了算？右派分子當家啊？”

阿姨聲音也大起來，“客運組的人都請假回家了。我不過是個臨時工。這個老右過去是公司領導。” 胡立言馬上點頭哈腰地說，“群眾當家做主！群眾說了算！”

“指導員”問。“開船的工人師傅怎麽說？”

“幾個師傅也都請假回家了。反正是國營單位，工資照拿。這裏沒人負責。開船的和我一樣，也是臨時工。發他工資，他就開船。” 客運組的阿姨回答。

“大家說，預報有寒流，這船開不開？” “指導員”話音剛落，四周一片叫聲“開，開！”我也跟著起哄，大聲地嚷嚷。心裏樂著哩：上了船，原先那些在香河縣城裏怎麽混一夜的擔憂都消除了。

“袁大頭！” 阿姨沖著船上大叫一聲。“哎！黃嫂子。”船上有人從艙裏鉆出來，他的頭真的不小。“請我吃飯啊？” “請你個頭！準備一下，馬上開船去青崖鎮！” “什麽？老右不是說寒流要來，開不了船嗎？” “冰化了，太陽出來了。這些人等著回家。不開船都到你家去住？” “哎喲。我那小廟，可裝不下這麽多大菩薩。” “那就別廢話了。把機器發動起來。” “好嘞！”

等船的旅客個個喜笑顏開。我問旁邊一個農民模樣的人：“大伯，你們買票了嗎？” “買了買了，昨天就買了。你還沒票？快去買呀。”

我急忙鉆進售票處。來到售票口，踮起腳尖往裏看，那個“老右”坐在裏面。我的心裏踏實了：他是右派分子，不敢不買票給我。

“到青崖鎮。” “就你一個？你家大人呢？” “大人幹革命，忙著哩。放假了，我去看奶奶。” “你就不能晚兩天去？” “為什麽？” “估計船開不到青崖鎮，寒流就會來了。” “可是現在能開。那麽多人都不怕，我怕什麽？”

“好，好，說的也是。” 他收了我的錢，給了我船票和找的零錢。

我高興地笑了起來，連聲說謝謝。他臉上的表情非常復雜，不知道是笑還是哭。外面有人在叫：“還有人上船嗎？快一點！” 我轉身便往外面跑。

我一上船，袁大頭就把碼頭和船之間的搭板給撤了。船離開了香河縣碼頭，朝著洪山湖南邊的大山駛去。船上的旅客都興高采烈地有一句沒一句的搭著閑話。我望著一步步遠去的船碼頭，突然想起三年前的那個夏天：我也是在這裏乘船隨唐奶奶進山，媽媽站在碼頭上向我揮手，身上披著旭日的光芒。

那是個燦爛的日子。青色的湖水中魚兒在跳躍，蔚藍的天空上水鳥在飛翔。可是今天，蓋著薄冰的水面一片沈寂。太陽被周邊環狀的日暈裹住了，只散發出弱弱的光。船上的旅客在經過鬥爭贏得開船的勝利以後，短暫的興奮很快被各種各樣的憂慮取代，大家忽然都不做聲了。

那個解放軍幹部默默地看著西北方天際線那邊像大水一樣漫過來的烏雲。我走到他身邊，碰碰他的手臂，“叔叔，你是指導員嗎？” “咦，小鬼，你怎麼知道的？” 我笑了，“猜的。” “哈哈，猜的不錯。你家有人當兵嗎？” “我表叔姓唐，是 1958 年在香河中學當的兵。” “唐天華。青崖小學考到縣中的。認識。58 年的兵是到蘭州軍區吧？” “是。” “他提幹了？” “提了。回家探親可不容易了。” “是啊，兩個星期的假，路上單程就得四天。他們西北的兵和我們在東北的情況差不多。”

他坐了下來，把身邊的包挪開，拍拍木頭座椅，“坐，小鬼。你叫什麼名字？” “我叫金伢子。” “金伢子，小機靈鬼。我姓吳，口天吳。” “吳叔叔，你是不是擔心天氣啊？” “是。” 他擡起手腕看了看表，“到青崖鎮需要四個小時。不知道我們這條船能不能趕在寒流之前到那兒。” “如果趕不到，會怎樣？” “那就慘了。洪山湖和香水河會重新凍結。”

“開船那會兒，天也沒這麼陰。我們總不能老在那兒等著啊。”一個工人模樣的叔叔說話了。剛剛就是他罵“老右”睜著眼睛說瞎話的。“哎呀，要是有辦法，誰也不願冒這個險。你沒看，昨天有人買了票又退了。可是我們這些人，在縣裏待著，食宿誰給報銷啊？”一個農村幹部模樣的人接過話茬。

正說著，袁大頭進了客艙。“各位旅客注意了。船老大說，眼看大風雪就要過來了。照這個樣子，我們今天到不了青崖鎮。現在回香河縣城，可能還來得及。”

“往回走？開國際玩笑！哪有開了一半又往回走的。車到山前必有路，不能回去！” 工人師傅大聲叫喚。

“如果回去，船票錢能退給我們嗎？” 公社幹部好像有一點動心了。“哎喲，張主任，這個我可不好說。我和船老大都是臨時工。船票錢估計是退不了。客運組得給我們開工錢。再說這來回消耗的柴油錢誰給出？” 袁大頭搖著他的大頭說。

“那更不能回去!” “不回去，不回去！走哪兒算哪兒。”不願回去的人占大多數。就算有人想回去，聲音也聽不見。我反正不願意回去。

“那好。我們就同舟共濟。”袁大頭用詞還挺有文化。“說實在的，我也怕擅自回去被扣工錢。不過我們話說在前頭，不管發生什麼情況，別怨我們沒跟你們商量。” 他說完回駕駛艙去了。

客艙一片沈默。

船已經到了香河河口。黑雲滾滾而來。風越來越急，浪越來越大，木船顛簸搖晃得厲害。前方湖岸的樹林敞開黑乎乎的大口，把突突亂叫的機動船吞了進去。我的耳朵裏灌滿了寒風在枯枝中穿行的呼嘯聲。

指導員吳叔叔側過頭，看著客艙外的林子，幽幽地說了一句：“這麼大的風，現在想往回開也不行，太危險了。”

我下意識地將手抱在胸前。感覺到寒意逼人。

第十四章

河道越來越窄，峽穀兩岸猙獰的石壁向客船擠了過來。風小了，山頂厚厚的烏雲卻往下壓來。剛過中午，船艙卻黑得像掌燈時分。我感覺胸口悶悶的，不知道是因為水汽太重，還是由於緊張屏住呼吸的緣故。

“砰”的一聲，船頭撞上了什麼東西。坐在客艙裏的旅客身體不由自主地搖晃了一下。接著就聽到袁大頭張口大罵。

吳叔叔站了起來，三步並作兩步走到艙門口，沖著駕駛室大聲問：“怎麼回事？”

“冰太厚，走不動了！”袁大頭回答。

吳叔叔閃身讓袁大頭進艙。袁大頭找了個空位子一屁股坐了下來，哭喪個臉，不說話。大夥兒不約而同地圍了過去。

“袁師傅，怎麼個情況？你給說說嘛。” “跟你們講，香水河的冰可能沒化。你們偏要逼著我們開船。山裏頭，太陽照不進來，冰就化不了。你們不信嘛！” “哎，哎，這話你說了嗎？你說的是有工資拿你們就開船。怎麼能怪我們乘客？” “進河口之前，我可是特地問你們要不要往回開。你們都說不回，走到哪兒算哪兒。現在好了，走到這兒，開不動了！”

吳叔叔張開大嗓門：“別吵了！吵架能解決問題嗎？” 等大家安靜下來，他又說話了。“不能埋怨船老大和袁師傅。他們如果當初拒絕開船，我們能答應嗎？天氣突變，也是罕見的嘛。誰又能想到呢？” 袁大頭小聲嘟噥，“是沒想到。早知道開不到青崖鎮，誰願意開船呀。”

“那，袁師傅，這冰什麼時候能化？” 大家七嘴八舌地問起來，“是啊，我們在船上要待多久？” 袁大頭抱著腦袋不吭聲。

“這就要看運氣了。” 門外傳來船老大的聲音。過道上的人讓開道。船老大走進人群。“對不住各位了。年關到了。你們呢，急著回家。我們也想掙兩個錢過年。沒想到天氣變得這麼快。結果大家都給擱在這前不靠村後不靠店的河灣了。”

“老師傅，您有經驗，今天這種情況會有什麼變化？” 吳叔叔問。

“我吃行船這碗飯大半輩子了。中午那會兒答應開船，除了沒想到冷空氣來得這麼快，還抱著僥幸心理，想著只要過了月亮灣，開到青崖鎮應該問題不大。我和大頭都有親戚在青崖鎮，暫時回不到縣城關係也不大。” “行船在外，如果遇到特殊情況，工資和補貼照拿。” 那個工人插話。“是。誰沒一點私心呢？可是話又說回來了。航運組並不樂意這麼幹。他們是叫你們逼著同意開船的。”

大家都沒話好說了。

吳叔叔打破沈默。“月亮灣還有多遠？” “這兒就是月亮灣。你們沒看見前方水面變得開闊了？如果站在山頭往下看，這塊水面像半輪月亮。我們的船剛進灣。” “為什麼過了月亮灣就能開到青崖鎮？” “前頭坡大水急，流動的水不容易結冰。可是山裏頭的水到了月亮灣就變緩了。” “哦。” 大家恍然大悟。“是不是可以說，只要灣裏的冰融化了，開船就不成問題？” “是這話。” 雖然船老大還是不能給一個明確的開船時間，大家的臉色變得好看多了。

“那得等多久啊。” 有人自言自語。說話的人明明也知道沒人能回答這個問題。那個年輕工人張口問了一句：“要是下船走，有路去青崖鎮嗎？”

“山裏頭要是有路，誰還坐船？” 那個被袁大頭叫做張主任的公社幹部說話了。“尚書記在我們香河縣那會兒，組織山裏幾個公社開會討論修路。也請了地區交通局公路科的技術人員搞實地測量。可是這事讓三年困難時期給耽誤了。那會兒肚子都吃不飽，還修什麼路？好不容易日子好過了。尚書記又調回省公安廳當副廳長了。我這輩子還不知道能不能看到大路修到青崖鎮。”

聽他說起我爸爸，我鼻子一酸，想哭。沒有人注意到我。

其他人也覺得那個工人問有沒有路很可笑。“這位小哥不是我們山裏人吧？除了采藥的，沒人能穿過這片林子，翻過這幾座山。采藥人也沒聽說冬天進山的。抗戰八年，日本鬼子就從來沒進來過。” “是啊，不怕說出來讓各位笑話。買船票的錢對我也不是個小數。要是有條小道，哪怕需要走一天一夜，我也不會買票坐船。” 另一個大伯說。他覺得好奇，“小哥看起來像是城裏人。年關到了，怎麼想起來往我們山裏跑？”

那個青年工人看到大家都盯著他，有點尷尬地笑了笑。“我老婆快生了。我這不是著急嘛。” “哦，……” 好幾個人，包括那個張主任，一下子對上號了。大家你一言我一語。“鐵匠李長鎖是你老丈人！” “光聽說李家三丫頭在城裏找了婆家，這次可看到姑爺真人了。” “李家姑爺，你好福氣！三丫頭是青崖鎮最漂亮的姑娘。”

“是，是。我倆是中學同學。” 工人臉上笑開了花，可轉眼又出現了愁容。“唉，可是這農村戶口把人給栓住了。戶口隨媽，我們孩子生下來，也得是農村戶口。” 他這話觸動了不少人。大家光是嘆氣，不再說話了。解放軍吳叔叔安慰他，“小夥子，別想那麼多。等孩子長大了，參軍、讀大學都能跳出農門。” 工人點點頭，勉強地笑了笑。

船艙裏有二十多個人，大多數都是生性沈默寡言的山裏人。看上去他們雖然不熟但多數人互相都認識，可是除了李家姑爺讓大家找到關於進山的路和城鄉戶口的話題，似乎沒有更多可說的。大家就這麽悶頭呆坐著。船艙外烏雲壓頂，霧氣在峽穀間，水面上彌漫。天不知不覺地黑了。

有人打開隨身行李，取出乾糧來吃。我感到饑餓難忍。我沒帶任何吃的東西，不是沒想到，而是以為有錢和糧票不愁買不到吃的。從香河縣城的街上經過，甚至這些乘客同碼頭上航運組的人鬧著要開船的時候，都還沒到吃中午飯的時候。再說小商販被取締了，碼頭上也沒有人賣食品。原想著船到青崖鎮能夠在飯店裏吃碗面。可是，現在船被冰困在這月亮灣，還不知道什麼時候能開船。我哪裏能熬到那時候？還不得餓死？我發覺自己的眼淚流了下來，立刻用雙手捂住臉。

“怎麽了，金伢子？” 吳叔叔問。“我，我餓。從早晨到現在都沒吃東西。我一點吃的都沒帶。” “怎麽會呢？你媽沒想著給你帶乾糧？” “沒有。以為能買到的。” 我哭著搖了搖頭。“哎呀，那可不好辦。你是說你身上有錢？” “有！”

吳叔叔張開大嗓門：“各位老鄉。金伢子上午走得急，沒帶乾糧。你們誰帶的乾糧多，能勻點給他嗎？他錢倒是帶了。誰能賣點吃的給他？” 客艙裏一陣很難堪的沈寂。過了一會兒，咀嚼聲又響了起來。

“我還有糧票！” 我大聲宣佈，帶著哭腔。

沒人接茬。

“大家發揮一點共產主義精神嘛。袁師傅說要同舟共濟，也就是這個意思。老話說，十年修得同船渡。大家上了一條船，也是不小的緣分。你們總不願意看著這伢子餓死吧？”

袁大頭聽到吳叔叔點了他的名，說話了。“我要是有多的，當然願意給。可是我現在吃的，是我老婆給我準備的中午飯。實話說了吧。這份飯我也不敢吃完。誰，誰知道船要困在這月亮灣多久？” 他停了一下，看了看四周低頭不語的人們，沖著吳叔叔說，“你是解放軍，風格比我們高。你，你怎麼不給？”

“我給！” 吳叔叔把手中沒吃完的小半塊燒餅遞給我。我實在不好意思從人家手裏奪食，搖了搖頭。“拿著！伢子。” 袁大頭大聲說，“這是救命的一口糧。你肚子裏沒食，今晚凍都能凍死你！” 被他這麼一咋呼，我情不自禁地拿過吳叔叔手裏的燒餅，一下子塞進嘴裏。

吳叔叔苦笑一聲，“車到山前必有路。李家姑爺，這話是你說的吧？我沒有抱怨你的意思啊。可是現在，不但沒有路，連糧都沒有。” 說完他閉上眼睛，攏起雙臂，往椅背上一靠。

這一夜真長！我醒了好幾次，嗓子渴得冒煙。船艙的玻璃窗上結著厚厚的霜。外面泛著朦朧的亮光，卻什麼也看不見。我打開艙門鉆了出去。哇，下雪了！

月亮灣兩岸是高聳的山峰，黑乎乎的影子環繞著四周，只留下客船上空白濛濛一片。雪花在這狹窄的空間飛舞著，飛雪灑在岸邊樹林幹枯的枝葉上，發出淅淅索索的聲響，像是在對我說著深山雪夜的故事。我感到一陣涼爽，抓了一把雪塞進嘴裏，身體舒服多了。不遠處忽然“啪”的一聲，是枯枝斷了。我不由地打了一個寒顫，腦子裏出現了奶奶拉著四歲的爸爸，夜晚頂著寒風朝山廟走去的畫面。雪也是這麼大，肚子也是這麼餓，天也是這麼昏暗吧？爸爸能活下來，我也能活下來！

天亮了。船艙裏還是一片死寂。二十多個人用雙臂抱著肩膀，蜷著身體，低頭坐著。他們冷啊。特別是那些山裏的老鄉，衣裳單薄，打著補丁的棉衣裏面看著連絨衣和絨褲都沒有。有些人的鞋子“前頭賣生薑，後頭賣鴨蛋”，破得露出大腳趾和後跟。很少有人穿著襪子。我一個人一個人看過去，只有我、吳叔叔、張主任、李家姑爺和一個女老師模樣的穿戴還算整齊。特別是我，裏面絨衣毛衣穿了好幾層。頭上還有蔣叔叔的那頂黑線織的馬虎帽。早知道有今天，把爸爸媽媽的毛衣、手套帶著，不愁能跟這些凍得縮成一團的老鄉換些吃的。

我坐不住，想看看外面變成了什麼樣子，於是悄悄走到艙門口，把門打開一條縫。山裏的清新空氣撲面而來，我貪婪地吸了一大口，又香又甜。

“哎呀，凍死了！你個死伢子，沒事把門打開做什麼？”

艙裏有人一聲叫罵，嚇得我趕緊把門關上，躡手躡腳地回到吳叔叔身邊坐下。“ 吳叔叔，外面真好看。” “嘿嘿，小孩子不知道愁。” 他擡腕看了看手錶。“幾點了？” “八點半。這山裏頭陽光難得進來，天亮得晚。哎呀，我們在船上已經待了二十一個小時。看樣子，再有兩天冰也未必能融化。我們當初逼著開船是情緒用事，考慮不周啊。” 吳叔叔感慨地說。

“老吳，誰當時不是存著僥幸心理，想賭一把運氣呢？” 張主任搭話了，他沮喪地說，“賭輸了。”

“我老婆要是趕在這個天生孩子，那就慘了。接生婆都難請到。我還不在她身邊。” 李家姑爺念念不忘臨產的老婆。一個上船後從來都沒說過話的大媽責備他：“你自己家在城裏，倒是讓老婆回鄉下娘家生伢子。沒聽說過的事，順產還好，……” “哎呀，大媽！別說了！但凡有一點辦法我能這麼做嗎？我住集體宿舍，家裏三代人擠在一間屋裏頭，給老婆生孩子的床沒地方放啊！” 李家姑爺嘴一撇，想哭。聽了他說的話，我馬上想到蔣師傅家那間放了兩張床的小屋。

袁大頭嘆了口氣。“這艙裏本來就夠悶的了，你們還盡挑這些喪氣的話說。”

“那你給來一段提氣的。” 有人懟他一句。“大頭，你把船上的收音機拿出來聽聽嘛。不管播什麼，至少解解悶氣。” 說話的肯定跟他熟，而且是乘船的常客。聽到這話，許多人擡起了低垂的腦袋。“別提了。提到這事兒我氣就不打一處來。收音機被那個跟你們吵架的黃嫂子拿走了！說是他們需要聽天氣預報。媽的，都是臨時工，她在辦公室裏不動不搖的，還把自己當成領導。唉！就算氣溫從現在起回升，少說也得兩三天才能開船。這日子可怎麼熬啊！” 他這話一說，愁雲頓時重新籠罩了整個船艙。

“我會講故事！” 我腦子裏靈光一閃，大聲宣佈。

“你？你才多大呀？不是給我們講‘小兔子乖乖，把門兒開開’吧？” 李家姑爺瞧不起我。“哎，我說李家姑爺，他說什麼都可以。總比大家大眼瞪小眼，悶坐著強。” 有人馬上支持我。

“我會講《西遊記》裏面的‘大鬧天空’、‘通天河’、‘孫悟空三打白骨精’、‘真假美猴王’、‘無底洞’、‘白虎嶺’……” “好了好了。夠了！講，講！” 滿艙的人都興奮起來。

“這些不算四舊嗎？” 那個鄉下女教師怯怯地問。“不算，不算！” 好幾個人異口同聲地說。吳叔叔補充一句，“毛主席都贊揚孫悟空‘金猴奮起千鈞棒’的精神。” “是啊，孫猴子大鬧天空不是造反嗎？造反有理嘛！” 李家姑爺高興地附和著。

“我還會講《水滸》裏的‘武松打虎’、‘楊志賣刀’、‘野豬林’，還有好多好多故事。”“《水滸》是講農民起義的，是好的。” “講，講！”大家催促著。

“那我先給大家講‘孫悟空大鬧天空’吧。” 我也興奮起來。其實我已經很久沒講故事了，大鬧天空的內容和細節一下子並沒有把握想起來。可是我知道，這個通過講故事向大家討吃的機會非常難得。腦子變得異常的活躍，沒來得及想，張口就說起來。

“在很久很久以前，東海邊上有一座山，叫花果山。山頂上有一塊大石頭。這塊石頭可不簡單。它是女媧煉石補天，沒用完留下的一塊。所以是仙石。多少萬年以來，這塊石頭接受天地英氣，日月精華。石頭裏面懷了一個石胎。有一天，海上起了大風，天上電閃雷鳴。一個閃電照得天地透亮，緊接著‘嘩啦’一聲，巨雷劈開了這塊大石頭。從石頭的裂縫裏面，滾出一個圓球。這個圓球被雨一淋，風一吹，變成一個石猴。有頭有尾，有手有腳。他自己學爬學走，還朝著東南西北四個方向磕頭禮拜。然後，擡頭向空中望去。猴子眼中射出兩道金光，一直射到玉皇大帝的金殿之上。”

滿船艙的人都聽得聚精會神。我雖然肚子很餓，但還是忍著。我得把他們的興趣調動起來，讓他們覺得不聽就難受才行。我接著講石猴如何找到同伴，因為發現水簾洞被大家擁戴為王，下海得到東海龍王的定海神針金箍棒做武器，被玉皇大帝招安，被騙上天做了“弼馬溫”。後來一怒之下回到花果山，打出“齊天大聖”的旗幟。

說到這兒我停了下來。“有水嗎？” “有，有！你等著。”袁大頭匆匆忙忙跑到駕駛艙，給我倒了一杯熱水來，水裏還放了茶葉。

我喝了一口熱茶。看到四周都是等著我往下說的渴望的眼神，我覺得是提出要求的時候了。“我給你們講故事。你們能分一點吃的給我嗎？” 我懇切地看著大家。

身邊的吳叔叔說話了。“應該的吧。各位老鄉，你們過去趕集的時候聽書，總得丟兩個子兒給說書的師傅，是不是？換句話講，我們省出點口糧，換的是金伢子的精神食糧。對不對？他講得多精彩啊。”

大多數人都點頭表示同意。有人提出問題來：“那這麼多人，誰給誰不給，給多少，誰先給誰後給呢？總得有個說頭吧？”

吳叔叔不愧是指導員。他略微思考了一下， “我們這個船上，包括船老大和袁師傅，一共 25 個人。金伢子不算是 24 個。我哩，做 24 個鬮。大家拈鬮。我們按每天吃兩頓，每頓由三個人各省一口給金伢子算。按照 1 到 24 的順序給。你們看怎麼樣？”

“好，這個辦法好。” 其他人都附和。

袁大頭非常積極地說：“我們駕駛艙只有一個熱水瓶。我負責每天用柴油爐子燒開水，泡茶給說書的小師傅喝。別人就對不起了啊。” “沒意見。” “就這樣好。”

吳叔叔把挎包裹的筆記本拿了出來，撕下一張紙，小心地裁成一個個小方塊，再寫上數字。大家興奮地圍了過來等待抓鬮。我深深地吸了一口氣，閉上眼睛。回想從幼兒園到小學給班上同學講故事的情景。這次我是為了生存講故事，一定要講得比過去更出彩！

第十五章

“這孩子前世怕是個翰林，腦子這麼好，口才這麼好！”“嗯，真不簡單。說起書來連磕巴都不打，神了！”“哎呀，要是沒有他，這幾天還不知道怎麼熬過去哩。”

休息的時候，船艙裏的人總會議論紛紛地誇獎我。我也不知道自己的記憶怎麼會有這麼好。過去不是這樣啊。老師讓背課文，我也和同學們一樣愁眉苦臉的。還有，那次為了在批“三家村”的大會上發言，我背了好幾天。站在臺上懵懵懂懂地大聲背完稿子之後，連怎麼上臺怎麼下臺的都不記得了。可是這一次我講故事，說著前面的，後面自然而然地就想起來了。“通天河”的故事我只看過一遍，從來沒有給小朋友們講過。現在居然不打磕巴地講下來了。我也知道，這些故事的細節肯定有搞混的，也有講重復的，但是沒人挑我的毛病，大家聽得都很高興。

每講完一個故事，吳叔叔都會對我說，“歇歇吧，你一口氣講了一兩個小時了。” 然後他會對大夥兒說，“大家都休息休息。想上廁所的，下船盡量走遠點。夜裏就算了，大白天得講究點衛生。” 他讓袁大頭把上船下船用的踏板搭在河灣邊露出冰面的石頭上，自己先上去試一試。然後他站在踏板邊的冰面上，招呼大家下船方便。

月亮灣是個月牙形的水面，現在成了冰面。一邊是陡峭的山坡，另一邊到山腳還有一小段距離，平坦的灘地上長著雜草和大大小小的樹木。第一次下船的時候，李家姑爺說要試試看到底能往前走多遠。我好奇地跟著去了。穿過河灘上的樹林到了山腳下。那山坡也同對岸的山一樣，差不多是直上直下的，估計連猴子都不容易爬上去。李家姑爺仰著脖子看了半天，對我說，“金伢子，看來要想不坐船從這兒到青崖鎮，就得跟孫悟空一樣，會騰雲駕霧。”

大家都很好奇我是從哪裏來的，到青崖鎮去找誰。我告訴他們：“放寒假了，我從江安到姑奶奶家去。姑奶奶家姓唐，家住雲嶺大隊唐家坳。” “哦，你姑奶奶是唐書記他媽吧？” “是。我是聽別人叫我三伯‘唐書記’。” 看樣子很多人都認識唐奶奶和三伯。有人說，“唐大媽是烈屬。他們雲嶺早年參加革命的人不少，差不多都犧牲了。你爸爸是個大幹部吧？” 我犯難了。再往下說就什麼都暴露了。媽媽不是在紙條上寫了不要告訴任何人的嗎？於是連忙說，“我爸爸不是這兒的人。他也不是什麼大幹部。他，他就是忙。我小時候來過這裏，所以……”

旁邊幾個人都笑了起來。“他是唐大媽娘家那邊的親戚。” 那個張主任幫我解釋。“哎，她娘家是不是在鳳山？” “我，我也不知道。我只知道我爸爸老家那裏山上有個廟，叫廣濟寺。挺大的。” 廣濟寺是我爸爸小時候當和尚的那個廟。“哈哈，小孩子說也說不清楚。” “可是他說起書來倒是頭頭是道。”

大家分給我的口糧並不多。因為他們自己也就有那麼一點兒吃的東西，大多數是生山芋、山芋乾、玉米粑粑等粗糧。誰也吃不飽。也有人隨身帶著糧食，比如張主任就帶有一小口袋米和幾筒掛面。他說這些是城裏的親戚朋友送給他過年吃的。他家孩子多，戶口都隨媽媽。他老婆和孩子都是農村戶口，夏秋兩季分到的那點糧食根本不夠吃。

我很奇怪為什麼除了我，其他人多多少少都帶著乾糧。難道他們事先都想到船會困在月亮灣？張主任說，“一看就知道你們家是從來都不愁吃穿的城裏人。俗話說‘窮居家，富盤纏’。我們山裏人出外，要說錢，兜兜裏沒多少。但是背包裏總會帶上夠幾天吃的乾糧。”“為什麼？” 我不懂。“第一，山裏人窮，買不起店裏貴的食品。第二，天曉得在外頭會遇到什麼事？水會結冰，路會塌。所謂‘天有不測風雲，人有旦夕禍福’。我們還有一句話叫做：有什麼都好，不能有病。沒什麼都能湊乎，不能沒吃的。你們說是不是？” 他用眼光掃了一下周圍的人。

大家都點頭稱是。吳叔叔對我說，“金伢子，書上說‘兵馬未動，糧草先行’。你看過的電影上，戰爭年代行軍打仗，每個戰士身上都背著幹糧袋和水壺。這都是差不多的道理。”他看我聽得很認真，補充一句，“你書讀了不少。這很好。可是要明白這個世界上的許多事，還得親身經歷。”

是啊，蔣叔叔也跟我說過類似的話。其實對於這大半年來經歷的事情，大多數我還是不明白。恐怕得等到我長大了才能弄懂。

船艙裏的空氣很不好。大家都怕冷，所以門窗始終緊緊地關著。我身上穿著好多層衣服，手套、線襪、帽子、圍巾和膠底棉鞋樣樣齊全。冷倒是不冷，可肚子裏面空得慌。好在袁大頭熱水瓶裏的熱水說好了是供我一個人喝的。講故事的時候，我一杯接著一杯喝熱水。水喝多了尿也多。每次出去撒尿，我都願意在船頭狹窄的甲板上多待一會兒，呼吸著外面清涼甜爽的空氣，就像夏天吃了在深井裏頭“冰鎮”過的西瓜。

頭頂上那一片天空是鉛灰色的，還壓著一層層黑灰色的雲。冬日的雲和夏天暴風雨來臨前的烏雲完全不同：它們懸掛在天上一動也不動，就像是月亮灣的水，被凍結起來一樣。兩岸山上的樹都縮成一團。就連水邊的大石頭也像是凍成了冰。

一隻烏鴉闖入這個靜止的天地，飛到被雪壓彎的松樹枝頭，踩得松枝上的雪紛紛下落。那毛絨絨的雪花慢慢地飄動，降落到月亮灣的冰面上。抖動的松枝、飄揚的雪花和烏鴉古怪的叫聲，都在提醒我並沒有置身在圖畫裏。

我望著上下左右被雲、山、冰面和枯枝圍攏的小天地，傻傻地出了神。遠方不知名的鳥兒“嘰嘰”的叫聲，在我耳邊幻化出媽媽“進進”的呼喚。媽媽遙遠的呼喚聲，在山崖間引起一連串的回響。一陣悲哀湧上心頭。眼睛發酸，心裏難受，我跪在木船的甲板上，小聲地抽泣起來。

低溫天氣沒有持續很久。可喜的是，第三天風向轉了，東南風沿著河道吹進了月亮灣。

夜裏，我開始講《水滸》中武松的故事，說到緊張處，大家聽得聚精會神。

“……武松踉踉蹌蹌地出了酒店，一個人往景陽岡上走去。天氣悶熱。他一邊走，一邊解開衣領上的扣子，嘴裏還嘟囔著：什麼老虎。明明是店家為了騙人住宿，編出來的假話。那官府的告示肯定也是假的。假的，假……的！那方大印倒是做得蠻像的。哼。我武松，走南闖北，什麼人沒見過？想騙我？哼！…… 他喝多了，肚子脹。前後左右張望，山路上一個人也沒有。於是他解開褲帶就尿。猛地一擡頭，咦！……”

我這麼一驚一乍，聽故事的人臉色也都一變。

“那樹後頭怎麼藏著個老頭？武松說，你怎麼偷看我尿尿？啊？我不要臉？我自個兒的雞雞，掏出來自個兒看看不行嗎？你才不要臉！你老不正經！他尿也尿完了，紮好褲帶，走過去要把樹後面的老頭拉出來理論。可是，哪兒有人啊？他喝酒喝多了，眼睛花了。”

“哈哈哈，……” 大家笑翻了。吳叔叔說，“這孩子真會編，《水滸》上哪兒有這麼一段啊。哈哈，……” “加得好！這孩子有才。” “行了，大家別說了。金伢子，接著講！”

對大家的反應我很得意，臉上並沒有表現出來，接著往下講。“武松深一腳淺一腳地往山坡上走。那酒的後勁上來了。他覺得兩腿發軟，上眼皮和下眼皮打起架來。正在困勁上，看見路邊有一塊大石頭。石頭朝上的一面有點斜，但還比較平滑。他心裏想：還是在這塊石頭上睡一會兒。嗯，就打個盹兒。等酒勁過去了再走。打定了主意，武松把身後的包袱解下來，放在石頭一端，身子一橫，躺到了石頭上。一陣風吹來。他皺了皺鼻子：一股腥臊味兒。咦，我那泡尿怎麼這麼騷？隔這麼大老遠的都能聞到？正想著，忽然身邊的松林裏傳來‘嚓啦，嚓啦’的聲響。武松是個練武之人，對危險特別敏感，即使醉得暈乎乎的，多年練就的警惕性並沒有喪失。他身子一個激靈，騰地一躍而起，順手抄起身邊的哨棒。只見松林中鉆出一隻一丈多長的大老虎。武松一驚，出了一身大汗。酒精順著毛孔流了出來。他馬上清醒過來。

“這只老虎因為被獵戶集體圍捕了好幾天，搞得又累又餓。它餓，是因為附近村莊都圍起了木柵欄。不僅吃不到放養的牛羊雞鴨，村裏人還輪流站崗放哨，看到老虎就敲銅鑼，點火把。老虎天生就怕刺耳的鑼聲和夜間的火光。今天老虎翻過山崗到這邊來碰碰運氣，沒想到半路上忽然冒出——一個人來。他是人嗎？人見到我不總是拔腿就跑，又喊又叫嗎？可是這家夥從石頭上蹦下來，怎麼動也不動，手裏還拿著一根直不溜秋的樹枝？老虎心裏想，不管這些了，只要能吃就行。它身子往下一伏，然後縱身撲向武松。武松見那老虎撲來，舉起手中的二十響，對準它的天靈蓋……噢，對不起，搞混了。不是楊子榮……”

“哈哈，哈哈……” 滿場又是一陣大笑。

沒等他們笑聲停止。我接著說，“武松就在老虎跳起的一瞬間，騰地往旁邊一閃，掄起哨棒劈向老虎的頸部。只聽‘啪’的一聲，哨棒生生斷成兩截。就在老虎俯身落地的一剎那，武松扔掉斷棒，縱身跳到老虎背上，揪住它的頂花皮。老虎使勁想掀掉背上的人。武松死命按住，騰出右手，掄拳向老虎的耳門砸去。他運足了氣，每一拳都有二三百斤的力道。打得老虎耳朵、眼睛、鼻子和嘴巴七竅流血。漸漸不再掙紮。-- 死掉了。”

“好！” 李家姑爺帶頭叫好。大家鼓起掌來，叫好聲不斷。

等到安靜下來，我們這才聽到雨打在船艙頂和窗戶上的聲音。

“下雨了！” 船老大高興地叫了起來。“雨化冰。明天，我們的船就能開起來！”

臨睡前我問吳叔叔，“你要超假了吧？” “是啊。” “怎麼辦呢？” “那又能怎麼辦？回去以後，向領導說明一下情況唄。” 他想了想，問道：“船老大，袁師傅，你們船運公司能給出個證明，說明客船被困月亮灣的實際情況嗎？” 袁大頭馬上答應：“行。我倆寫不好。回去叫老右寫。他是大學生。寫好了，給蓋上公章。我們倆作為當事人按上手印。你看行嗎？” “行，行，那太好了！”

“吳叔叔，你愛人也在部隊嗎？” 我問。“哈哈，” 張主任說話了。“金伢子，《西遊記》你看明白了。我們這‘青崖返鄉記’你還沒看懂。你說，讓開船最積極的有兩個人：李家姑爺和吳指導員。為什麼？” “哦，你這麼一說我就明白了。他們老婆都在青崖。” “對呀！”滿艙人都哈哈大笑。“那，張主任，你自己愛人也在青崖。這船人絕大多數都是回家啊。” “你這伢子還挺愛動腦子。那我考考你：同樣是回家，家裏頭都有老婆孩子，為什麼他倆的嗓門最高？” “嗯，李家姑爺不一樣，他愛人要生了。” “好，那你說說吳指導員。” 大家都安靜下來。他們認為我這個省城來的伢子一定不懂“人情世故”，想聽聽我說出什麼傻話來。

我有意停了一會兒，然後吞吞吐吐地說：“你們說李家三姐是青崖鎮上最漂亮的姑娘。所以，李家姑爺一想到李三姐就激動。” 有人已經憋不住想笑了。袁大頭“噓”了一聲。“那，吳指導員的愛人肯定也漂亮。他都在外面憋了一年沒見愛人了。一想起回家見愛人，心潮澎湃。嗓門自然比別人都要高。” 滿艙喝彩，鼓掌，起哄，大笑。

等到大家平靜下來，吳叔叔說話了。“哎喲，這伢子成精了。才八歲就知道拿我尋開心。還知道我‘憋’了一年。哎呀，不瞞大家，我哪能年年回來探親。兩年一次都不能保證。這次回來，馬上就得返程。” 船艙裏沒人說話，氣氛變了。

過了一會兒，李家姑爺問，“多住兩天會挨處分嗎？” “部隊嘛，軍紀嚴明。當然象這種特殊情況，領導也許能通融，把處分給免了。可是，我這麼多年嚴格要求自己，苦幹實幹給領導留下的好印象，沒準會因為超假改變了。在部隊待 15 年以上，升到副營職，才夠帶家屬的條件。” 大家異口同聲地“哦”了一下。“還算有個盼頭嘛。” 張主任接過話，“再堅持兩年。一旦能帶家屬，你老婆孩子不就吃上商品糧了。” “是啊，值得。”

吳叔叔顯然不願意繼續這個話題。“張主任，青崖公社的有線廣播通到家家戶戶了嗎？” “還沒有。我們是山區，不光面積大，而且山高林密。雖然上面要求‘毛主席最高指示傳達不過夜’，但是全面鋪設有線廣播網難度較大，需要一個過程。快了，公社把這事作為頭等大事在抓。怎麼，你需要用廣播通知誰？” “我不需要。我家離青崖鎮也就三裡地。金伢子去唐家坳可就不易了。這個大雪天，他一個人進不了山。最好能通知那邊來人接一下。” “沒問題！雖說有線廣播沒做到家家通，但是各大隊都通了。我下船後就安排廣播通知的事。” “那太謝謝你了！” “謝什麼。我還沒跟你說，我愛人叫樊山花。跟你是小學同學吧？都是自家人。” “哦，樊山花。對對，我們從小就是同學。她好嗎？” “嗨，跟了我，好不到哪兒去。老吳，唐家坳的人暫時來不了也沒關係。我們鎮上正好留下金伢子給我們講《水滸》。” “是啊。這伢子住在誰家都行！”大家紛紛響應。

這一夜，滿客艙的人都帶著對明天返回家園的希望進入夢鄉。

雨水真的能化冰！第二天清晨，我被人們興奮的談話聲吵醒之後，也擠到甲板上去看河面。月亮灣河道中心的堅冰消失了，只有靠河岸的兩側還凍結著。袁大頭拿起帶著鐵尖頭的船篙往冰面上一敲，那冰不僅被敲出一個洞，而且冰窟窿四周都裂開了。他再來幾下，一大片冰很快就解體了。袁大頭吆喝："嘿！別都擠在這邊。一會兒沒有冰撐著，船還不叫你們給壓翻了！"

當袁大頭將船尾的柴油機發動起來，人們的心也隨著"突，突"的馬達聲激動地跳動。大家歡呼著，告別了把我們封凍了三夜加兩個白天的月亮灣。

還沒到中午，船就靠上青崖鎮那塊青石崖下的碼頭。船上每個人都互相招呼著，依依不捨地離去。他們對我特別熱心，紛紛邀請我去他們家做客。吳叔叔再一次請張主任關照我。張主任說，"你就放心吧。這伢子先跟我回家。下午公社廣播站正式開播之前，我會通知雲嶺大隊。大隊部就在唐家坳。一定有人會馬上把信送到的。這伢子你就不用操心了。先讓他在我家待著。"

第十六章

我跟隨張主任到了他家。他愛人樊山花一見到張主任就是一通數落。“哎呀，老張，你還知道回家！不就是開個會嗎？一走就是個把星期？你倒好，拍拍屁股就走。把這一大窩伢子都丟給我一個人。天上落雪路面結冰，我還得把四丫頭綁在懷裏去挑水！”

張主任陪著笑臉。“是囉，是囉。急死人。我們的船被困在月亮灣，動彈不得。二十多人窩在巴掌大的船艙裏。” “那你大冬天的進城開什麼會？我跟你說不要去的！” “是中央文革小組派人來，……” 他愛人正在氣頭上，馬上打斷他的話，“什麼文革？瞎鬧騰，神經病！” 張主任嚇得臉色大變，馬上去堵她的嘴。“莫瞎說！你要闖禍的！”

他家三個孩子已經圍了上來。兩個大一點的紮著小辮子。我聽張主任夫妻吵架說了犯忌諱的話，連忙彎下腰，捏了捏他家老三的臉蛋。“小弟弟，你叫什麼名字？”

那個圓臉小孩嘻嘻地笑。兩個大孩子也笑了，但都不說話。張主任夫婦意識到當著外人，盡管是個伢子，剛剛的話也是不該說的。不約而同地把眼光轉向我。見我沒在意，松了一口氣。“她是我家三丫頭。” 張主任說，“她的大名叫招弟。結果又招來一個妹妹。喏，你姨手上抱著的。嘿嘿。”

“阿姨你好！” 我給張主任的愛人鞠了一個躬。“你看看，人家城裏伢子多講禮貌！” 張主任馬上誇獎。“山花，我還沒給你說，這小哥是雲嶺大隊唐書記家的親戚，放寒假，從江安來看他姑奶奶的。碰上大雪封山，路不好走。我晚上通知唐家坳那邊派人來接他。他今天先住我們家。” 他愛人連聲說，“歡迎，歡迎。這位小哥請坐。家裏條件不好，你多包涵。我馬上燒茶。” “不用喝茶，謝謝阿姨。” “哎喲，小哥真會說話啊。” 樊阿姨看上去確實很吃驚。張主任說，“他呀，何止會說話，他會說書！我們憋在船上這兩天，全靠他說書解悶。哦，對了，吳守仁回來探親，也在船上。”

“吳守仁回來了？哼，可算回來了。”

“樊阿姨，聽說你和吳叔叔是同學？” “是。” 張主任一屁股坐了下來，把三個閨女摟在懷裏。“你樊姨當年看到吳守仁去當兵可羨慕了。說徐彩雲嫁給他就等著享福吧。”

“哼，享福？我那時候聽說吳守仁提幹了，以為彩雲馬上就能跟他到部隊去。雖說在東北，好歹也能吃上商品糧。結果，她守了七年活寡，還不知道什麼時候是個頭。” “可不是嗎？我剛出去七天你就熬不住了。” “別當著孩子們的面瞎說！”

他們夫妻倆逗嘴，樊阿姨看起來對張主任很兇，但眼角眉梢都是笑意。

“抱著！” 樊姨把懷裏抱著的娃娃塞給張主任。“有客，我們中午下麵吃吧。” 張主任連忙說，“我來做吧。” “你就知道說白話。你曉得油鹽醬醋都放在哪兒？四丫頭也輪到你抱抱了。” 她轉身便往廚房走。張主任低聲吩咐我，“金伢子，你在這兒坐一會兒。” 他用手指了指小板凳，抱著毛孩屁顛屁顛地跟著老婆進了廚房。

兩個大人一走，三個小姑娘便圍住我。她們把我從頭看到腳，只是嘻嘻地笑，還是不說話。最大的一個估計七歲左右，我問她，“你叫什麼名字？上學了嗎？” 她往後退了一步，頭一低，眼睛不再直視我。“你呢？” 我轉向老二。她笑著把臉轉向左邊，雙臂貼著身子交疊起來，眼睛卻還是看著我。唉，我心裏想，山裏的孩子怎麼這麼認生，不愛說話。可是，短頭發，像個男孩的老三卻主動說話了。“她叫大丫頭。她叫二丫頭。” 她用手指著兩個姐姐向我介紹。

“是小名吧？那你叫三丫頭嘍。倒是好記。”

三丫頭往前一步靠近我，摸摸我的圍巾。“這是什麼？” “圍巾。” “圍巾幹什麼？” “保暖啊。戴上不冷。” 我把圍巾解下來，給她圍上。她興奮地大笑起來。它的兩個姐姐也“咯咯”地笑了起來，禁不住同時用手去摸那條圍巾。我這才注意到，她們都穿得很單薄而且破舊。手是青紫色的，腫得很高，皮膚像是包著水。指關節上結著凍瘡的痂子。耳朵上也是一樣，耳廓的大半圈都是黑紫色的痂子。雖然我們同學中很多人冬天也生凍瘡，可是她們的樣子還是讓我不忍。看樣子，她們連圍巾都沒有見過。

熱騰騰的面條端上了桌，暖暖的香味立刻在屋子裏飄散開。我覺得自己渾身上下都興奮起來。張主任先讓我坐下。樊阿姨一聲招呼，三個丫頭“呼”地爬上了大方桌邊的長板凳。定眼一看，唯獨我的碗裏臥著一顆荷包蛋。“張主任，樊阿姨，雞蛋給妹妹吃吧。我……” “那可不行。這是待客的規矩。” “金伢子，山裏頭條件不好。你要是再推，那就是看不起人了。” 他們夫妻倆說得都很嚴肅。

“吃吧，吃吧。” 三個小丫頭都用誠懇的眼光看著我。好像我不吃，他們一家人就不會動筷子一樣。在他們殷切的目光督促下，我用湯勺托住荷包蛋咬了一口。那沒有凝固的蛋黃從牙齒咬開的缺口往外流。我下意識地用嘴堵住缺口，使勁一吸，將橙色的蛋黃吸入口中。張家的大人孩子象看表演一樣欣賞著這一幕。三個丫頭還鼓起掌來。

“好吃嗎，金伢子？” 樊阿姨問。

“太好吃了！” 我由衷地回答。張主任說，“我們足足有三天沒吃上一口正經飯。光是嚼吧點幹糧：燒餅、鍋巴、山芋乾什麼的。金伢子他什麼乾糧也沒帶。他給我們講故事。我們一船人輪流省下一口乾糧給他。” 他又補充一句，“金伢子，你說好吃我信。美食難中飽人意，山珍海味不如饑。饑餓的饑。”

他講得真有道理。不過，青崖鎮的面條也確實比別的地方好吃。我告訴他們。“三年多前我來這兒，在碼頭小飯店吃的面，到現在我都記得。跟阿姨做得一樣好吃。”

樊阿姨聽了這話可高興了。“那個小飯店就是我娘家開的呀！現在破四舊，不讓開了。” “是嗎？怪不得味道一個樣哩。咦，小飯店為什麼成了四舊？” 張主任苦笑了一下，“不是說四舊，說的是資本主義尾巴，所以要割掉。城裏不是也不讓做小生意了嗎？”

“老張，青崖鎮巴掌大的地方，飯店不讓開，鐵匠鋪木匠鋪掛上了‘生產合作小組’的招牌。雜貨店本來就是供銷合作社管。還剩下什麼東西值得革命革掉的？你上縣裏去開會，都說了些什麼呀？” 樊阿姨問。

“你看你，落後的話能不能少說幾句？” 張主任放下餵懷裏那個毛孩吃面的筷子，端起碗喝了一口湯，嘴裏發出好大的聲音。

“全國那麼大。中央文革小組的代表來香河幹嘛？” 樊阿姨好奇。張主任不緊不慢地解釋，“他們來，是因為九月底在江安發生的一件大事。包省長包正清，在省農機廠工總司召開的批鬥大會上，被造反派打得口吐鮮血，暈死過去。當晚，造反派把昏迷不醒的包正清給拖到工具間，扔在地上。第二天早晨，造反派發現包正清人不見了。到處找也找不著。有這事吧，金伢子？”

我點點頭。

“這麼大的幹部，怎麼會在人間消失了？這件事驚動了中央。中央當然要查！”

“那跟我們香河縣有什麼關係？” 樊阿姨不明白。

“你聽我說嘛。上頭查了一陣子，發現省農機廠的一輛卡車不見了。四下裏找，在江邊找到了。卡車的駕駛室裏有血，地上有腳印。血型和包正清的對上了，腳印哩，也是包正清留下來的。他一直往江裏去，還在江邊脫落了一隻鞋。” “包省長投江了？” “從跡象上看，包正清是自殺了。可是屍體至今沒有發現。”

“江無底，海無邊。屍體沈下去了唄。” 樊阿姨不以為然。

“可是按常理，落水的屍體終歸會漂上來的。換做是一般人，比如四類分子啦，有歷史問題的人啦，算上小當權派，屍體找不到誰管啊。運動嘛，死的人多了。可包正清是省長！”

“難不成上頭的人認為，是我們香河人把他屍體給偷偷埋了？” 樊阿姨覺得可笑。張主任卻很嚴肅。“嗨，你還別說，確實有這種可能，而且只是可能性之一。這就是中央文革小組特地派代表到香河來的原因。哎喲，弄得我七天七夜沒著家。” “別賣關子，快往下說！”

“上頭懷疑，包正清生不見人死不見屍，跟一個人有關係。” “誰啊？” “原香河縣委第一書記尚和！” 我雖然知道這件事，還是一直聽得聚精會神。張主任說出爸爸的名字，對我彷彿是平地一聲驚雷，把我震得腦袋一炸。好在張主任夫婦並沒有注意到我的臉色大變。

“尚書記？” “是。尚書記從小跟著包正清幹革命，同包正清情同父子。尚書記原本是省公安廳副廳長，三年困難時期被包省長派到香河縣抓試點。現在叫做搞‘三自一包’，反對人民公社集體化。唉，說句公道話，那三年，我們縣餓死的人最少，還不是尚書記手握包省長的尚方寶劍，不讓砍伐山林，不讓圍湖造田，不讓把集體的存糧分光吃光，堅持按勞分配。

還允許老百姓種點兒自留地，在自由市場上買賣點兒東西。這話就不說了。‘三自一包’按現在的說法是修正主義路線。”

“你前面的話還沒說完，先別打岔呀。包省長是不是叫尚書記給埋在，或者藏在香河了？” 樊阿姨著急了。

“也沒那麼說。包省長要是死了，把他屍體藏起來幹嘛？可他要是活著，一個大省長，認識他的人多了。從江安到香河來，還能沒有人看見？他明明被打得七竅流血，暈死過去，參加批鬥大會的上千人都看到了。那麼重的傷不治能好？會上我們把這些問題都提出來了。那個中央文革小組的代表和省工人造反總司令部的姓聶的司令也解釋不了。但他們就是懷疑，要我們充分發動群眾，在香河縣清查包正清。”

我心裏暗暗慶幸：四天前我從江安到香河，幸虧沒有耽擱。讓聶文龍知道可沒好事。怪不得媽媽在紙條上寫，到香河找唐奶奶的事“不要告訴任何人”。

張主任對我說，“金伢子，今天傍晚，我會在公社的有線廣播上通知雲嶺大隊的唐書記派人來接你。你就放心在我家過一晚。”

吃晚飯的辰光，墻上的小喇叭和鎮子大街上的高音喇叭開始廣播了。在播送“大海航行靠舵手”的樂曲之後，喇叭裏傳來張主任的聲音：“貧下中農同志們，社員同志們，在今天青崖人民廣播站正式廣播之前，先播送兩個通知：第一，請公社幹部明天上午到公社會議室，聽我傳達這次到縣裏參加有中央文革小組代表出席的會議精神。第二，請雲嶺大隊的人聽到廣播後，盡快派人通知你們大隊的唐書記。唐大媽娘家的親戚金伢子安全到達青崖。現在就住在我們家。讓他們到青崖鎮來接人。” 他又重復了一遍兩個通知，然後說，“通知播送完了。”

晚上三個小丫頭聽我講故事聽得入迷，怎麼也不肯早睡。樊阿姨自己也想聽。結果睡得很晚。張主任好像很著急，進進出出地催了好幾遍，樊阿姨只是笑。

第二天早晨，我因為沒人叫所以起得很晚。剛吃完熱乎乎的山芋稀飯，唐奶奶的孫子柱子已經到了。柱子大我四歲，三年前的夏天我去唐家坳，他一直帶我玩。我們粘知了、抓魚，牽著喜子滿山溝跑。那年他在青崖小學剛上完三年級。現在柱子比我高一個頭，穿著補丁加補丁，而且不太合身的棉衣，腰間箍了好幾圈麻繩，腳上套著好像是用草編的“靴子”。當他摘下那頂破氈帽時，露出很短的頭發。他的頭皮冒著熱氣，汗珠順著耳朵根往下流。他用手掌抹了一把汗，憨憨地笑著站在門口。他的肩上一前一後還掛著同樣兩只“靴子”，想必是為我準備的。

柱子叫了聲“張主任，姨娘”，眼睛便盯著我，一個勁兒傻笑。

“柱子，你怎麼這麼早就到了？” 我吃驚地問。

“是啊，這麼著急就想把金伢子帶走？我們還想多留他兩天，聽他說書哩。” 樊阿姨笑著說。

我很認真地向他們保證：“阿姨，張主任，天氣不好，我奶奶肯定著急了。我會在青崖住很長時間，以後一定會來看你們的。” 張主任非常理解。“去吧，去吧。大老遠地來，在船上又耽擱了幾天，唐大媽能不急嗎？”

我戀戀不舍地同張主任一家告別。他家三個小姑娘不想讓我走，三丫頭都要哭出來了。

柱子肩上掛著的草靴子果然是為我準備的。靴子的底層是一片木板，板上鑿出一道道的槽，是防滑的。柱子幫我把球鞋和褲腳一起塞進靴子裏，外面用繩子紮牢。

出門走完了青崖鎮唯一的那條小街，又看到記憶中山腳下青崖小學的那排草屋和草屋前很小的操場。草屋如今被積雪覆蓋著。往前，一條山路蜿蜒而上，消失在密林中。

在山路口，柱子解下腰上的麻繩，一頭還箍在他自己腰上，另一頭在我腰裏紮好。他說，“山路陡，雪地滑。這樣保險。”

他像變魔術似的從一棵大樹背後拿出兩根樹棍做的手杖。他把短的一根給我。自己用一根比大人身高還稍長的。有手杖支撐，上山確實容易一些。

“本來奶奶是想派我爸或者我六叔來接你的。我告訴他們，這條路我最熟了。我每天到青崖小學來上學，一共走了六年！”他停頓了一下，揉了一下鼻子，帶著傷感，無奈地說，“現在縣裡中學停課鬧革命，我沒有學可上了。”

山路真陡啊。有時候我們得貼著峭壁走，偶然擡頭，見到頭頂石縫裏竟然長出碗口粗的一棵松樹。那松樹斜斜地向上伸展著枝葉。再往上看便是被石壁切掉一半的天空了，這麼冷，連鳥兒都沒有。轉眼看另一面，眼前是層層疊疊的樹影。回頭看來路，青崖鎮看不到了，看到的只是林海的樹梢，渺渺茫茫的像是被灰色的煙霧籠罩著。走著走著，我的兩條腿就邁不動了。感到兩只草靴子特別沈。

山間小路被雪覆蓋著。柱子叮囑我踩著他的腳印走。我並不明白為什麼要這樣做。隨著疲乏的加重，我也管不了踩著他腳印的事了，重一腳輕一腳地往上爬。忽然，我的腳踩上積雪下面的一塊松動的石頭，失去平衡。我大叫一聲摔倒，身體不由自主地往山下滑去。走在我前面的柱子被拴在腰間的繩子拉倒，跟著我往下滑。他迅速把手中的木棍橫過來，雙手抓住木棍中間。木棍“啪啦，啪啦”地碰撞著樹木，最後兩端都被樹幹掛住，我倆才停止下滑。

我的心從摔倒那一刻起就懸在空中，半天都收不回來，直到柱子爬過來拉住我的手。我擡起頭看了看，我們已經滑出了小路。

“哇，嚇死我了。柱子，沒有你，我肯定會一路滑到山溝裏，非摔死不可。”“嘿嘿，不能讓你摔死。摔傷了也不行啊。那樣讓我怎麼跟我奶奶和爸爸交代？再說，我還等著你告訴我好多山外面的新鮮事哩。”

十幾裡的山路，柱子帶上我可走不快。等到我們從山上往下看到唐家坳那一片被白雪覆蓋的茅草屋頂時。太陽都要落下西邊山頭的林梢了。又往前走了一段，遠處傳來一陣似曾相識的狗叫聲。“喜子？” 我回頭看了看柱子。他點點頭。

原來是唐奶奶不放心，讓柱子他爸唐三伯來接我們了。喜子還認識我！它撲過來，前面兩只腳搭在我的肩膀上，用舌頭舔我的臉。柱子好不容易才把熱情的喜子從我身上拉開。

唐三伯要背我走。那我哪兒肯呀。我現在是大孩子了。從江安到青崖，這麼多困難都克服了，十幾裏山路也走下來了，總不能快到家門口了還被人背著進村，讓唐奶奶和村裏人看到，多難為情。

這條小路一直通往村口。已經看到村口的那棵老槐樹了，唐三伯卻領著我們往旁邊的林子裏走。我想到媽媽在紙條上寫了“不要告訴任何人”的話。明白唐奶奶和唐三伯一定也是不想讓村子裏的人都知道尚書記的孩子又來了。“這山外邊不太平。雲嶺大隊有兩個在縣城唸中學的伢子回家過年。整天說‘文化大革命’，打倒這個打倒那個的。你奶奶不想驚動更多人。所以啊，我們繞過去，從後山坡那邊回家。” 唐三伯像是猜到了我的心事，向我解釋。

“三伯伯，那我到了你們家能出來玩嗎？” “能！想怎麼玩就怎麼玩。金伢子，上次來你還小，恐怕也沒幾個人注意過你。可這會兒是吃晚飯的辰光，村裏人都在家閑著沒事情幹。要是看到我們接著一個孩子回村，一定會議論紛紛。搞不好晚上全村人都到我們家來看熱鬧。看熱鬧沒關係，鄉下人沒完沒了的問東問西怪煩人的。”

“哦，我懂了。”

“張主任昨晚在廣播裏說，我媽娘家那邊的親戚來了。” “是我這麼告訴他的。” “柱子，你瞧瞧。可得跟金伢子多學學。害人之心不可有，防人之心不可無。人要實誠，但是也不能不長心眼。” 聽唐三伯這麼一說，我倒是不好意思起來。擱在幾個月之前，我哪兒有心眼啊。不都是被逼成這個樣子，凡事小心，怕出一點差錯。三伯又說，“我們也沒必要瞞著村裏人。現在城裏沒學好上，你來看你奶奶，在山裏住一段，那是天經地義的。不過哩，盡量別跟大人說你父母的事。柱子聽到沒有？不要帶金伢子到別人家串門。” “誒。” 柱子趕緊答應。

唐奶奶家雖不在村邊，但是離後山腳不遠。進了村子以後，經過幾家大門，我們倒是沒有和任何人打上照面。

一進唐奶奶家的院門，看到唐奶奶和三伯媽正從屋裏往外走。我大叫一聲“奶奶！” 就撲了過去，抱住唐奶奶，眼淚嘩嘩地往外流。三伯伯和三伯媽扶著唐奶奶，柱子拉著我進了屋。唐奶奶一屁股坐在地上，我跪下來抱住她，兩個人哭得天昏地暗，誰也勸不住。柱子和他的弟弟石頭，妹妹紅杏站在墻角，不知所措。

唐三伯關了門，點上煤油燈。三伯對我說，“金伢子，你奶奶年紀大了，這麼哭傷人。你們都別哭了好不好？我們還想聽你講講，你這麼小的人，怎麼獨自一個人能跑這麼老遠，找到我們唐家坳來。”

三伯媽打了把熱毛巾遞給唐奶奶。奶奶先把我的眼淚擦了，又把我的臉仔細擦了一遍。“我的金伢子長這麼大了，一個人都能闖天下，從省城摸到我們唐家坳來。真是了不起！”

“餓了吧？” 唐奶奶問。我點點頭。“金伢子，聽說你來了，奶奶昨晚就琢磨著做什麼給你吃。今天我們提前過年了！” 柱子特別興奮。他和三伯媽把靠墻放的大方桌擡到堂屋中央。石頭和紅杏搬凳子，放碗筷，忙得興高采烈。

有人敲門。

“六叔！” 我看到來人大叫一聲。六叔是唐奶奶的小兒子。三伯和六叔之間的四姑和五叔都夭折了，二姑嫁到外鄉。六叔原先也在香河中學讀書，我小的時候，週末常到我們家看唐奶奶，帶我玩。他 62 年高中畢業回鄉務農。唐奶奶經常說，要是沒有我們家周濟，六叔別說讀到高中畢業，餓也餓死了。除了唐奶奶，我和六叔最親。

“進進，來啦？你真了不得，能從江安一個人來這兒！我一個人去江安都發怵。我們可想你了！” 在這個村裏，只有六叔叫我進進。

“老六，坐下吃飯。” 三伯媽熱情地招呼。

“不了。那邊等我回家哩。” “你就是怕老婆！” 三伯媽取笑他。

六叔把唐奶奶拉到一邊，附在她耳朵上小聲說了幾句。“嗯，也好。” 唐奶奶點點頭，然後招呼說，“老六，你就在這兒吃吧。讓柱子過去跟你屋裏打聲招呼。” “不了。你們就陪進進吃頓安穩飯。過兩天，我們做了好吃的。再請進進過去。進進，日子還長。我們明天見！” 他說罷就出門了。

這頓飯真是太豐盛了。唐奶奶燉了一隻老母雞，還有蒸鹹肉、烏菜豆腐。大概他們把山裏能找來吃的都給我做了。“奶奶，你把家裏的東西都讓我吃了，過年怎麼辦？” “哎呀，金伢子真是長大了，這麼懂事，知道為我們操心了。不礙事的。” “老母雞留著下蛋多好。你不是說，山裏頭過日子全靠雞屁股。”

“哈哈，金伢子連這個都知道。” 三伯媽笑了起來。“我們家可不是這樣。你奶奶在你家幾年，工資都攢著在。我們買個洋火肥皂鹹鹽什麼的都不犯愁。再說，這只雞老了，不愛下蛋，遲早都是碗裏的菜。”

三伯也說，“金伢子一定吃了不少苦。這也是好事情。人生三大不幸：少年享受，中年喪偶，晚年孤獨。少年吃苦就是福。”

還沒等我仔細想想三伯這番話裏的道理，唐奶奶家奶孫三代人都往我碗裏夾菜。我連忙用雙手捂住碗。“我自己來，自己來！你們也吃嘛。”

我留意到，唐奶奶一家人很少動雞和鹹肉。這讓我感動，也讓我擔心：我來這兒給他們增加負擔了。可是，就算我把這話說出來，也改變不了這個狀況啊。

“金伢子，你怎麼跟張主任熟，住到他家去了？” 三伯伯問。

“我們是乘一條船從香河來青崖的。船開過洪山湖，還沒進香水河就遇上大風，溫度下降，到了月亮灣，那裏的冰沒化。船走不動了。我們被困在月亮灣差不多三天三夜。” “是這樣啊，我們一直都在說，這個天氣不能開船呀。” 他們一家人明白了。

“那你吃什麼？帶乾糧了嗎？” 奶奶著急地問。

“沒有。我什麼吃的都沒帶。後來，我講故事給船上的人聽。他們一天兩次輪流分一點吃的給我。我們就成了好朋友。” “看看，金伢子真了不起！你都會講什麼故事？” “《西遊記》和《水滸》裏的故事。以後晚上我給你們講。”

柱子、石頭和紅杏都高興地鼓起掌來。

第十七章

很久很久了，我都沒有吃得這麼飽，睡得這麼香。就連昨晚在張主任家我也還做了噩夢。到了唐奶奶家，這一覺睡得才算踏實、安穩。吃完晚飯後，唐奶奶不讓我多說話，象我小時候一樣，打來熱水幫我洗了臉和手腳。我告訴她，到了江安以後我都是自己洗臉洗腳。她不聽啊。

然後，我就睡了。就像一個雪人在大湖裏沈下去融化掉了：四周的光線、聲音、溫度、氣味，甚至自己身體的重量和感覺都消失了。夢是沒有的。好像魂魄離開了這個世界。直到有人用手輕輕地拍打我的臉，連聲叫“進進”。

我終於睜開了眼睛，又過了好一會兒才想起自己是在唐奶奶家。

一個人坐在床邊，笑瞇瞇地看著我。“六叔”，我叫了一聲。“進進，睡得這麼沈啊。我叫了你好半天。起來吧。我媽說你躺下以後就沒動彈過。你至少睡了 12 個小時！怎麼沒讓尿給憋死？” 讓他這麼一說，我才覺得小肚子發脹，掀開被子就起床。

“別往外跑！小心凍著。馬桶在那邊。”

我隱隱約約想起來小時候來這裏，夜裏方便都是坐在一個木頭做的“馬桶”上。

“進進，你奶奶不讓我叫你。可是，昨天說好了的要帶你去見一個人。這會兒真不早了，我們要進山。” “六叔，到哪兒去？見誰啊？” 我坐在馬桶上，好像用了很長很長的時間才把憋在肚子裏的水放光。

“雷光寺聽說過嗎？” “嗯。” “啊？你聽誰說的？” “《西遊記》裏面有雷光寺。” “哈哈，我說的是雲嶺這兒的雷光寺，是個小廟。” “去那兒幹嘛？” “嗯，……去見和尚。” “和尚？和尚不是四舊嗎？江安的和尚都讓紅衛兵押著遊街。”

“作孽！” 六叔憤憤地說，“要遭報應的。哎，你怎麼還沒完？” “六叔，我……大便。” “哎呀，你是吃得多，拉得多，屁眼找囉嗦。快！我在外屋等你。” “我這……就完。”

幸虧我的動作快。唐奶奶聽說我起床了，把洗臉的熱水、漱口杯、擠了牙膏的牙刷都給我端進屋來。“奶奶，你可不能還這麼服侍我。我早就是大孩子了。” “知道了。奶奶沒把你當小伢子看。你現在是客。” “你不是說這兒是我的家嘛？奶奶，石頭和紅杏他們會笑話我的。” “行，等到你熟悉了，讓你自己打水刷牙洗臉。” “還有，奶奶，昨晚我是睡在你床上的吧？” “是啊，我們山裏可沒有你們家那個條件，……” “奶奶，以後還是讓我和柱子和石頭睡一張床吧。你帶杏花睡。” “喲，他們那床被子太薄。……好，好！都依你。”

我剛要洗臉，忽然又想起一件重要的事情，連忙從貼身的衣兜裏掏出一個紙包交給奶奶。“奶奶，這是我爸媽藏起來的錢和糧票。給你。” “哎呀，你媽已經給我留了……好吧，我先幫你收起來。以後用得著。”

早飯，不用說，大家都吃過了。我吃飯的時候，奶奶和六叔忙著往背簍裏裝東西。

“六叔，就我們兩個去嗎？” “對。進進，你還能走山路吧？” “能！”

奶奶插話了，“昨天金伢子可是走了十幾裡山路。他不像柱子他們，還不習慣。要是太累，老六你就一個人去。過幾天再帶金伢子去。”“奶奶，我不要緊的。我現在能吃苦。”“那就好。回來的時候讓六叔背你。”

他們讓我換上不知是柱子還是石頭的棉襖，戴上柱子昨天戴的氈帽，又穿上昨天穿過的那雙草靴子。我跟著六叔出了門，往後山走。爬山之前，六叔同樣用麻繩把我和他拴在一起。“進進，你可別像昨天那樣跌倒，把我拉個大跟頭。我要是摔倒，背簍裏這罐子雞湯可就全潑了。”“不會的，六叔。我知道，踩著你的腳印走就沒事。”

一路上，六叔給我講了很多事。

我一直都不知道六叔的爸爸唐爺爺也參加過紅軍，比我爸爸還要早。“那我爸爸認識唐爺爺嗎？”“認識。尚書記當年跟包省長的部隊走的時候才八九歲吧？我父親就在那支部隊裏，他是炊事員，又叫夥夫。尚書記剛當紅小鬼的時候，總和我父親在一塊兒，幫他撿柴火燒鍋，一直管我父親叫唐叔。”“你怎麼知道的？”“我上香河中學那幾年，星期天常到你家去蹭飯吃，是尚書記親口跟我說的。”“那我怎麼不知道？”“嘿，你那時才四五歲，大人說什麼你哪兒懂。”

“後來呢？”“在紅軍改編成新四軍之後，我父親負傷，被送回唐家坳養傷。他讓送他回家的同志把我大哥帶到部隊上。我大哥那時比尚書記要大幾歲，可是尚書記已經是幹部了。大哥跟著尚書記，什麼都聽他的。大哥在渡江戰役中犧牲，那時候他都當連長了。”

“唐爺爺呢？”“我父親負傷回鄉後，組織關係就轉到香河，一直在根據地的地方黨組織工作，後來組織遊擊隊，勞累過度，舊傷復發，沒活到解放。尚書記轉業到地方後，代表包省長來看望過我母親。他調到香河當縣委第一書記，立刻主持修建了香河縣革命烈士陵園。把我父親和大哥的墳都遷到陵園裏。另外，他請我媽去你們家，說是當保姆照顧你，實際上對我媽和對自己母親一樣。我上香河中學那幾年正趕上三年困難時期，不光是我媽和我，我三哥一家也都靠尚書記周濟。我到你們家和回自己家一樣。”

“那奶奶為什麼不跟我們一起去江安？” “我媽知道尚書記想一直照顧她。可是我媽那人是個不願意被人照顧的人。你小的時候，她確實能幫著照看你。你大了，都上學了。她就覺得自己幫不上什麼忙了。再說，去了江安，那麼大老遠的。我們來去一趟都不方便，是不是？”

“嗯。” 我點點頭。“我明白了。”

“我跟你說這些，是讓你知道：我們家和你爸爸，和你包爺爺，有割不斷的情義。雖說過去在戰爭年代，我的父親和大哥都是他們的下級，但是他們是從槍林彈雨中，趟著血水一起走過來的。用我們山裏人的話，這叫做割頭換命的交情。山裏人眼光窄，但實誠，認死理。說破了天，人和人之間講得是兩個字：情和義。你看你爸媽對你包爺爺那一份赤膽忠心！你要學，我也要學。那個聶文龍你認識吧？”

“認識！六叔，我親眼看到他搧包爺爺的耳光，還把包爺爺踹倒！”

“他就是一個無情無義的小醜，敗類！連畜生都不如。”

“六叔，聶文龍到香河來了。” “哦？他來幹什麼？” “張主任說，他去縣裏開一個會。會上中央文革小組的代表和聶文龍號召要在香河清查包爺爺。……還要肅清包爺爺和我爸爸在香河縣的影響。”

“進進，你這個消息很重要！聶文龍過去和我大哥都在尚書記手下。只要他聽說我媽在你家當過保姆，一定會有聯想，有可能找到雲嶺來。”

“他是來抓我嗎？” 我著急了。

“那倒不至於。但是如果他看到你，他更會懷疑你爸爸和我們的關係。懷疑……其他一些事。進進，如果他來，你一定要躲著他。” “知道了。” “我回去還要提醒我媽和我三哥一家。”

頭一天和柱子走了十幾裏山路，我的疲勞還沒有完全恢復。走著走著，那雙草靴變得越來越沈重，向前每邁出一步都很吃力。六叔停下了腳步。

“進進，你累了吧？要不要休息一下？”

我環顧四周，在這條往上攀爬的山路兩邊，連一塊平坦的地面都沒有。小路上的雪有一尺來深，怎麼休息啊？

六叔看出我的想法。“我們只能坐在雪地上。你看那兒有棵小樹。你跟我來。” 他走到小樹邊，背過身面向山下，扶著樹幹坐了下來。“來，你扶著我坐下來。好，這就好，這樣不至於等一會兒爬不起來。” 可不是嘛，我們倆一坐下就像陷在棉花堆裏了。特別是六叔身上還有個背簍。

“六叔，那個……雷光寺還遠嗎？” “不遠了，爬上這個山頭就能看見。進進，你真了不起啊，能吃苦耐勞，不怕困難。” “我爸爸像我這麼大當紅小鬼，整天翻山越嶺。” “是啊。他怕是萬萬沒想到，自己九死一生革命成功了，也當了大官，自己的兒子還要遭這個罪。”

“六叔，我不懂，為什麼我爸爸和包爺爺要被鬥被抓。我們大院食堂有個蔣師傅，是個榮譽軍人，共產黨員。他說包爺爺和我爸爸都是共產黨裏的共產黨。那為什麼文化大革命整的是他們呢？開始的時候，連我們小學生都開大會批判‘三家村’。‘三家村’的幾個人和我爸爸，包爺爺是一樣的人嗎？” 其實，我早就想到這個問題了。可是，我就連蔣叔叔都沒敢問。

“說你了不起吧。這麼小就能問出這個問題。要不是你爸爸和你包爺爺都挨整，上面說誰是黑幫，我們也不會有半點懷疑的。可是我哪裏能明白這些事？我不過是一個高中畢業生，連大學都沒考上。所以，想不通的事我就不去想。我只認世上最簡單的道理。美醜善惡總不能顛倒了。人要是不知好歹，連牲口都不如。”

我突發奇想。“六叔，如果你還沒畢業，還是香河中學的高中生。你會參加紅衛兵嗎？” 六叔好像從來沒有想過這個問題，被我問住了。半天說不出話來。“嗯，……可能，會吧。哎呀，那樣的話，也免不了……。進進，你想過不少問題啊。”

“瞎想唄。我們家和鄰居馮伯伯家都被抄，被封了。馮伯伯是省法院的院長。你知道嗎？是馮院長的二兒子帶人來抄家的。把他自己的爸媽和我媽媽都抓走了。” “作孽啊！進進，我跟你說，我們山裏人不會做出六親不認的事情。……就算我參加紅衛兵也不會做這種事。我們走吧。你的問題留著問老和尚。他們有學問。”

我站起來以後，幫助六叔從雪窩子裏爬了起來。“六叔，我見過那個老和尚嗎？” 我隱隱約約地覺得要見的這個老和尚或許同我有什麼關係。要不六叔幹嘛這麼大老遠的帶我去見他？但六叔只是說，“嗯，……和你爸爸關係很深。”

我們爬上了第二座山。六叔用手指向下面山腰。“你看，那就是雷光寺。” “不像是座廟啊。” “怎麼不像？” “太小了。” “廟有大有小嘛。” “就這麼幾座房子，也沒有那種大屋頂。” “都是茅草蓋的頂。所以山裏人都管雷光寺叫草廟。別看廟小，聽說是在明朝末年建的。歷代主持都是道行很深的和尚。現在這位青燈法師學問大，會醫術。山裏人有什麼難處都來求法師排解，把他當作活菩薩。”

“六叔，你說這裏就一個老和尚住？他有多老了？他在這深山裏吃什麼？”

“嘿嘿，知道你問題多。青燈師傅過去有個徒弟。十多年前被他勸著還俗了。他應該有七十歲了。政府動員他離開這兒。他不肯走，說他一走，這廟就荒廢了。” “那我爸爸跟他有什麼關係？”“聽我媽說，青燈師傅是尚書記的師叔。他是從南邊一個寺院，叫做……”“廣濟寺！”“對！是廣濟寺。連這個你都知道？”“那當然。我奶奶死在那兒。我爸爸在那兒當的小和尚。”

“那就對了。尚書記在剛解放那會兒來我們家看我們。聽說深山裏邊雷光寺的青燈法師為我爸爸看過病。想到他可能是當年廣濟寺教他識字背經書的和尚，立即去看望他。據說他和青燈師傅談了一整夜。後來尚書記調到香河縣當書記，到山裏來檢查工作，又去看他。”

“那，我該叫他叔爺爺，是吧？我一直說我們家沒親戚。想不到都在這裏。除了你們家還有一個青燈師傅。我說哩，你怎麼帶我走這麼遠的山路來看他。謝謝你！”六叔笑了。“昨天我到雷光寺來，青燈師傅也是這麼說的。他說你爸爸和你同雲嶺這個地方，同他的緣分最深了。”

“你昨天就來過？”我很詫異。“是啊，前天晚上聽說你來了，我和你三伯就商量著通知青燈師傅。要不我怎麼說‘約好了’今天帶你來呢。”

“哦。六叔你還沒告訴我，他年紀這麼大一個人在深山裏，吃的穿的用的都從哪裏來？”“雷光寺這片山地屬於我們雲嶺大隊。他是我們大隊的五保戶。知道什麼叫五保戶嗎？”我搖搖頭。“不知道。”“五保戶指的是我們農村裏既無勞動能力，又無經濟來源的老、弱、孤、殘的農戶。當地的集體組織要對他們實行保吃、保穿、保住、保醫、保葬。簡稱五保。把青燈師傅作為五保戶供養，這是尚書記親自指示的。目前我們雲嶺大隊能做到的，其實也就是分給他基本口糧和很有限的幾塊錢生活補貼。但是，青燈師傅懂醫術，會針灸，識草藥，我們這些山民得他的照看。作為報答，平時會送一些柴米油鹽醬醋茶到廟裏來。他自己也在廟的附近開出零星的荒地種菜。所以他日子過得去。”

一來說話分神，二來目標在即，給人鼓舞，我的腳下不那麼沈重了。不知不覺地便來到草廟的跟前。廟院的後面，一道清澗自山上激流而下，在廟院外繞一個彎，流過草廟旁。清澗之上架著一座用樹幹建構的木橋。只有橋面鋪的是用工具加工平整的木板，其餘做欄桿和支架的木材連樹皮都沒有去掉。從小橋往前，路面的積雪都被清掃掉了。過橋後，我們要繞一下才能走到前面院子的大門。

我有些恍惚。“六叔，我怎麼覺得在哪兒見過這個地方？”

“哈哈，要不是你上輩子在山廟裏待過，那就是你在畫上見過這個情景。很多古畫上都有這種小橋、流水、山林、古廟。” 六叔笑著說。我恍然大悟。“對，對！是畫上見過。小人書上好像有。” “進進，你是不是覺得這兒美得都不真實了？我每次來，都有洗淨凡塵，跨入仙境的感覺。這兒就是一個現實版的世外桃源。” 六叔的口氣特別虔誠。“青燈法師在我眼裏就是個活菩薩，活神仙。”

我的神情變得肅然，隨著六叔轉過院墻，來到廟院的門廳前。只見大門被貼了封條，掛著一把大鎖。六叔小聲對我解釋，“山門過道兩邊立著四大金剛。聽到城裏寺廟裏的菩薩都被‘破四舊’的紅衛兵砸了，我三哥讓我帶了幾個人，挑來幾擔玉米稭堵上過道，後面又用石塊砌了一道墻。這些都是幾百年的東西了，砸壞了可就沒有了。青燈師傅說，我們這麼做功德無量。”

門廳的左邊，墻上有一個豁口。我們從豁口處走進院子。我轉身看門廳被堵起來的過道口，心想，拆了院墻堵過道口，倒是省了不少事。“六叔，大殿裏還有菩薩嗎？” “原先有啊。大殿裏的三世佛是木雕。被我們搬到廂房裏去了。幹脆把廂房的門窗都砌上了。” 他指了指右邊院墻邊的一間小屋。

繞過大殿，後面還有一排草房。我們走到最邊上的一間。六叔輕輕地敲了敲門。

“他們來了！” 裏面的人欣喜地叫了起來。“快請進！”

六叔推開房門。屋裏只有一個很小的窗子，光線比較暗。中間有一個火盆，火不大，火苗輕輕地跳躍著。火盆邊坐著兩個老人。同樣花白的頭發，穿淺灰的棉袍，臉上掛著和藹的笑容。我定了定神，讓眼睛適應室內的光線，一下子蒙住了：左邊這個老人不是包爺爺嗎？！

第十八章

“進進，見了爺爺怎麼不叫?” 包爺爺看我直楞楞地看著他，笑著說，“過來。過來呀，讓爺爺瞧瞧。這幾個月不見，你真的長大了。”

我還是沒有完全清醒，懵懵懂懂，下意識夢遊般地向包爺爺朝我伸出的手臂走去。包爺爺一把將我摟到懷裏，摸著我的頭、臉、肩膀和胳膊。“長高了，……瘦了。孩子，你吃苦了。”

他那雙幹枯、粗糙和溫暖的大手，把我從迷蒙中喚醒。是真的，不是夢。我叫了一聲“包爺爺！” 淚水奪眶而出，接著嚎啕大哭，哭得上氣不接下氣。

兩個爺爺和六叔沈默著，直到我的情緒平緩下來。

“我知道，我都知道。唉，進進，我身不由己地接受了你爸爸的安排，從人間消失。給你們一家帶來了這麼大的苦難。……” 包爺爺一隻手松開了我，抹了一把眼淚。他苦笑一聲。“青燈師傅，這個世界上恐怕也只有你的徒弟能幹出這麼出格的事。我包正清大小也是一省之長，中央文革小組的要犯。把我給藏起來，這是常人連想也不敢想的事啊！”

“嗨，這跟我關係不大吧？我只是教過他識字唸經。他不到九歲就跟你走了。是你一手培養塑造了他。他這麼做，在佛家看，是大慈悲、大智慧。在你們革命黨看，應該是有堅定的信念和長遠的目光吧？” 青燈法師爺爺說話的時候，我目不轉睛地盯著他。我從來都沒有見過他這樣的人：個子不高，清瘦，穿著長到膝蓋的灰色夾袍，褲腳用布帶紮起來，腳下一雙用布條編織的鞋子。他雖然全身穿戴都是灰暗的，但看著很清爽，剃光了的青色頭皮和雙眼發著光。

“進進，這是你爸爸的師叔青燈法師。你該叫他……” 包爺爺遲疑了一下。

“師爺爺好！” 我沒加思索，脫口而出。

“哈哈，師爺爺，叫得好！包省長，我說這孩子與我有緣，這個稱呼便是明證啊。”“那就拜託您對進進多加教誨。” “豈敢，豈敢。時代不同了，老衲豈敢誤人子弟。他們父子與你雖沒有血緣關係，但勝似一家人哪。既然你們相聚重逢，正是你悉心教育他的好時機。難得這孩子小小年紀就經受了這麼多的磨難。阿彌陀佛！”

我有太多的話要跟包爺爺講，還有太多的問題要問包爺爺。吃了中午飯，六叔要回去了。他和兩位爺爺商量了一下，決定把我留在草廟，過幾天再來接我。六叔擔心我在深山裏住不慣。我跟他說，“六叔，我一個人躲在被紅衛兵抄過，上了封條的家裏，擔驚受怕，吃了上頓沒下頓，還不是過了兩三個月？這裏有包爺爺和師爺爺，對我來說就是天堂了。” 兩個老人聽了頻頻點頭。

六叔走後，青燈法師在火盆裏加了幾個劈開的粗樹段，掩門而去。包爺爺說，青燈法師是個閑不住的人，清晨唸經，白天收拾寺院的前前後後。自從他來廟裏養傷，青燈法師晚上不打坐了，總來陪他說說話。

包爺爺急於知道在他離開江安以後都發生了一些什麼，特別是我們家的遭遇，問了我許多問題。我也急著想知道“投江自殺”的包爺爺是怎麼來到深山草廟中的。包爺爺把他這一段奇特的經歷從頭說給我聽。

1966 年夏天的“紅八月”，全國都在揪鬥“走資本主義道路的當權派”。可是，在要不要把所有領導幹部都揪出來批鬥這個問題上，紅衛兵和造反派中意見並不一致。畢竟，中國是共產黨的天下，把共產黨各級領導都打倒，許多人接受不了。在江南省的領導中，包爺爺的父親是建黨時期的領袖之一，又是革命烈士。三年“自然災害”以後，包爺爺在全國帶頭恢復生產和老百姓的正常生活，深得民望。許多人不贊成打倒包省長。可是，恰恰包爺爺搞的“糾正共產風”是中央文革領導小組不喜歡的。他們說，這是“反社會主義道路”。而文化大革命剛開始，包爺爺在北方一位省委書記的追悼大會上的發言，更是惹怒了中央文革小組。他們在接見各地紅衛兵代表時，點名說一定要把像包正清這樣有欺騙性的走資派批倒批臭。

江南省工人造反司令部沖在揪鬥包正清的最前頭。過去因刑事犯罪受到處分，被清除出公安部門的聶文龍，搖身一變，成了“工司”的司令。他想借著批鬥老上級包正清，洗去身上的恥辱，實現往上爬的野心。

“包爺爺，我還記得聶小琴她爸來我們家找我爸爸時，哭哭啼啼的，一副可憐相。”

“是啊，你爸爸剛從香河縣調回省公安廳當副廳長，就接手負責處理聶文龍的案子。你爸爸打起仗來兇得很，可處理起自己過去的戰友部下卻心腸軟。他只是給了聶文龍開除黨籍，調出公安部門降職使用的處分。這才給了他鹹魚翻身的機會。教訓啊！”

“包爺爺，是我爸爸不好，害了你。” 我心裏很難受。

“喲，你是這麼想的？不對。你爸爸這麼做也是征得我同意的。我們都放棄了原則，把戰爭時期一塊兒流血奮戰的關係，看得比法律和公正要重。我們愧對人民賦予我們的權力。更重要的是，這在我們共產黨人中是比較普遍的現象。就聶文龍這個具體的例子來說，你讀過《農夫和蛇》的寓言故事吧？我和你爸爸都是愚蠢的農夫。如果兩年前依法行事，聶文龍至少被判五年，現在還在大牢裏面，他當什麼司令造什麼反？我們這叫咎由自取！按照你師爺爺的說法就是現世報應。”

我深受震撼。

“當然，沒有聶文龍，也會有張文龍，李文龍，同一類的變色龍小爬蟲。中央文革小組照樣不會放過我們，除非我們賣身投靠。” 包爺爺沈默了一會兒。“嗯，跟你說這些，你現在還不懂。至少不可能全懂。”

“那，……包爺爺，你跟我講講你為什麼跳進了江裏，又到了青崖公社的山裏。”

“哈哈，你是不是覺得你包爺爺鬼沒神出？我可沒有那個本事。有本事的是你爸爸。去年 9 月 28 日晚，聶文龍的‘工人造反司令部’在省農機廠召開‘揪鬥江南省最頑固的走資派包正清大會’。聶文龍親自帶了好幾卡車造反派包圍了省委大院。把我從家裏拖出來，押到離江安城十幾裏外的省農機廠。”

“去那麼多人幹嘛？”

“他們說是怕‘雄師’派的人阻攔啊。其實，自從江青和康生都表了態，煽動江南的紅衛兵和造反派把我鬥倒鬥臭，也就沒有人敢公開保護我了。聶文龍大張旗鼓地這麼做，是有意製造出對方是保皇派，自己是真革命的假像，打擊‘雄師’派，向中央文革賣乖求賞。

他們把我押到省農機廠操場的露天舞臺上。就像人民公園裏面的廣場和舞臺一個樣子。那次鬥譚書記和我，還有其他省委領導，你不是也去了嗎？”

我點點頭，沒說話，不想打斷他。

包爺爺接著說。“這次批鬥會讓我唱獨角戲。他們輪番上臺控訴，就像我們搞土改時鬥地主那個樣子。說的話都是顛三倒四地重復，但是仇恨的程度在不斷升級。

聶文龍很清楚他需要什麼。群眾的情緒給煽動起來以後，他對著麥克風告訴大家，今天不只是要殺殺包正清的威風，而是要他交代出他在中央的總後臺，以及挖出他在江南省培植的黑勢力。他解下腰裏系著的軍用皮帶，走到我面前，威逼我說出中央誰在領頭推行反動路線。我大聲說，‘聶文龍是刑事犯罪分子！’ 他掄起皮帶朝我劈頭劈腦地抽。臺下的口號震天動地，‘包正清不投降就叫他滅亡！’ 聶文龍兩眼充血，狠狠一拳打在我的太陽穴上。我眼冒金花，腿一軟倒了下來。後面架著我胳膊的造反派沒能拉住。聶文龍穿著大頭皮鞋的腳猛地揣在我的胸膛和腹腔。我一張口，大口的鮮血噴了出來。最後一點知覺是，天空一聲巨雷，大雨落了下來。……”

聽著包爺爺的講述，我像親眼見到那個殘忍的場景。看著包爺爺花白的頭發，慈善的面容，我心裏在想，人得壞成什麼樣才能對這樣的老人下手。

“那，後來呢？”

“後來的事我就不知道了。等我清醒過來，已經是第二天淩晨。我躺在一張手術臺上，周圍是你爸爸媽媽，還有一個穿著白大褂的人，我認出他是我們過去部隊的軍醫，姓郝，現在是江東省省工人醫院的院長。看到我睜開了眼睛，他們都松了一口氣。郝院長說，老政委，你可把我們嚇死了，這次傷得比黃崗阻擊戰那次還要重。聶文龍這個狗娘養的，下手比鬼子漢奸還要狠。你爸爸說，郝院長你放心，我饒不了這個狼心狗肺的東西。老政委，郝院長也被打倒了，這個手術是他秘密做的。此處不能留你，我們得立即離開。他們把我用擔架擡到一個帶帆布篷的大卡車上。你媽媽留在我身邊，你爸爸開車。車開出醫院後門時，天剛濛濛亮。

我問你媽媽，‘小蕭，我們這是到哪兒去？’她說，‘尚和要把你送到根據地，藏在堡壘戶家。’‘別開玩笑了，這是什麼時代了……’ 你媽媽打斷我的話，‘老政委，尚和說，現在和戰爭年代沒什麼區別。想活下去，只有去找善良的老百姓。你的肋骨被踢斷了三根，肺、肝臟和脾臟都嚴重受損。現在動也動不得。你就安心接受尚和的安排吧。’ 我說那可不行，我不能連累你們。她說，‘尚和說了，你既是他的父親，又是他的領導。救你不僅義不容辭，而且可以忠孝兩全。見死不救，禽獸不如。包省長，你不許再說話了。’ 我那個時候非常虛弱，說話的確很困難，也知道，我連你媽媽都說服不了。”

“包爺爺，開你批鬥會的那天晚上，天上下著大暴雨，我爸媽一直都在家裏啊。他們是怎麼知道你被打傷，又是怎麼找到你的呢？” 這是我最不明白，最想知道的事。

“我的司機小季你還記得嗎？” “季叔叔？我記得呀。他跟你一起到過我們在香河縣的家，我們家搬到江安以後他也來過。” “你爸爸在靠邊站之前，找過小季，給他佈置了任務：只要是開我的鬥爭會，都要悄悄地參加。如果發生特殊情況，要及時向他匯報。小季是個好青年。那天晚上，他把車開到省農機廠外面，自己溜了進去。他站在暗處，把帽檐壓得低低的，也沒遇到熟人。看到我在會場上昏迷了，馬上出廠，進城向你爸爸做了匯報。你爸爸乘他的車到了農機廠後，告訴他下面的事情不用管了，打發他把車開回去睡覺，把那天的事徹底忘掉。那個時候省委機關裏也打派仗，小季是個逍遙派，沒人問也沒人管。他自己不說，誰也不會知道他來過省農機廠的會場。”

“哦，” 我這才明白過來。“原來是小季叔叔到我家來，告訴我爸爸的。”

我記得，那天剛打雷下雨，媽媽就到我房間來，讓我早點上床睡覺。一定是在我睡著後，季叔叔來把我爸爸接走的。咦，他們出大院的時候怎麼沒人看見？我知道了。自從那天我從人民公園看批鬥大會回來大哭了一場後，爸爸就知道了我們翻墻頭進人民公園的“秘密通道”。他倆一定是翻墻頭出的公檢法大院。

“小季報信和你爸爸把我弄出省農機廠的事，都是後來你媽媽告訴我的。你媽媽一直把我送到你唐奶奶家。”

“包爺爺，你還沒有告訴我，我爸是怎麼找到你的，又是怎麼把你送到醫院的。”

“你爸爸是個老偵察員。他進廠以後，很快做出判斷，並且在會場旁邊的工具房裏找到了我。我昏迷後，天又下起大雨，批鬥會開不成了。造反派就把我拖進附近的工具房。你爸爸說，大雨也沒有把血腥氣完全沖走。他摸到車隊值班室，撬開門鎖。找到掛在櫥櫃裏的鑰匙。確定了是哪輛車的鑰匙後，他把我從工具房裏抱了出來，放在車上。又用我的皮鞋和身上流的血，在相關的地方留下印記。做出是我一個人偷車逃離的‘現場’。你爸爸可以說是中國當代最好的偵察員。別人能想到的，他一定能想到。別人想不到的細節，他也能想到。我相信他會做得毫無破綻。”

包爺爺說這話我特別愛聽。而且，我覺得這件事我也做了貢獻。“包爺爺，第二天爸爸一個人回家，也沒有人會發現。你知道嗎？爸爸一定是從我和小五子翻後院墻到公園的秘密通道出去和回來的！” 我驕傲地說。“哦？你們小孩子還有個進出公檢法大院的秘密通道？” “嗯！以後我再告訴你。現在你說說是怎麼去醫院的吧。還有，為什麼人們都說你投江自殺了呢？”

門被推開了。青燈法師爺爺走了進來，雙手捧著一隻鐵缽子。

“該休息了。日子長著哩。做晚飯的時候到了。” 師爺爺從墻角拿出三根鐵棍。鐵棍的一頭是用鐵絲綁在一起的。打開就是一個三腳架。他把三腳架支在火盆上。鐵缽的兩只耳朵上拴著鐵鏈，掛在鐵架上就是一個簡單的炊具了。“哇，太棒了！” 我由衷地贊嘆起來。“進進，以後常來雷光寺，你師爺爺的本領是學不完的。” 包爺爺說。

“哈哈，都是在深山裏生存的一些雕蟲小技。不足掛齒。” 青燈法師笑著說。“進進小施主才真是了不起。爸媽被抓，家門被封，滿城蕭殺，一個十歲的孩子居然能獨立生活好幾個月，還能獨自一人來到青崖。進進，你爺爺的傷還沒有痊癒，不宜多說話。你來給我們講講江安的情況，還有你是怎麼生存下來的，好嗎？”

“好。” 我鄭重地點了點頭。

第十九章

吊在三腳架上的那缽粥煮了很久。粥和柴火的香味在小屋裏彌漫。我在火光和水汽的籠罩中，給兩個爺爺講述了爸媽如何被抓，還有爸媽被抓後我的遭遇。兩位老人聽得非常投入。包爺爺滿臉悲戚，不時地搖頭嘆息。

“青燈法師，昨天我倆還在討論唯物主義的世界觀和佛教的世界觀。你堅持說‘色即是空’，世事‘如夢幻泡影，如露亦如電’。進進這幾個月所經歷的，可是讓人刻骨銘心的事情啊。怎麼會如夢幻泡影？” 包爺爺很慎重地對青燈法師說。

“嗯。” 青燈法師嚴肅地點了點頭。“那我們可以換個角度來討論。你所說唯物主義的客觀，是一定有尺度的。時間的尺度是秒、分、時、日、月、年。你不覺得沒法用時間的尺度來衡量進進的這段人生？他所經歷的可以說是另一種完全不同的境況。這樣一個非邏輯的不確定的境況，我認為便是佛所開示的‘如夢幻泡影’的表現之一。”

我不知道他們在討論什麼，但覺得很有趣，很深奧。估計他倆經常有類似的對話。

包爺爺回答，“在同樣的時間範圍內，既可以容納不同的內容，也可以容納不等的內容。列寧說過，人民群眾在革命時期，一周學會的東西比平常一年學到的還要多。”

“不管發生了什麼事，發生了多少事，包括形形色色反常的、突然的變化，在我們佛家看都如同夢幻泡影。你挑起這個話頭，恰恰是因為你在聽進進講述的過程中，心裏自然冒出

《金剛經》上佛的開示。你心中想抵禦是說，才會借與我討論來給自己解釋。包省長，你想不通發生在自己身上以及自己身邊的事。那是必然的。可何必鬱悶在胸？” 青燈法師悠悠地，緩緩地道來，既像是解釋，又像是規勸。

“哈哈，照你們佛家一說，萬事都簡化了。可是，這個世界是復雜的。” 包爺爺的口氣倒也不像是在爭辯。

“夢幻並不代表簡單。佛只是引導我們刪繁從簡，擺脫俗念。包省長，我們把進進說糊塗了。來日方長，現在該吃飯了。” 青燈法師戴上一副厚厚的棉手套，把掛在三腳架上煮粥的鐵缽端了下來，接著用一把木頭做的大勺給我們往木碗中盛粥。我從來沒有見過這樣的餐具，覺得特別新鮮。

“若不是這場運動，我哪裏能有機會同法師探討哲學和宗教問題。” 包爺爺接過裝了粥的木碗，感慨地說。

“也吃不到這樣香的粥啊。” 我好不容易才有機會說話。

“說得好。進進，你最近這段不平凡的經歷會成為精神的財富，讓你終生受益的。” 包爺爺轉臉看了看青燈法師，像是徵求他的看法。青燈法師笑著點了點頭，沒有說話。“法師，你至少並不完全同意我的話，是不是？” 包爺爺似乎在引導青燈法師說些什麼。“善哉。我的一閃之念竟然逃不過您的法眼。能同您這樣的高官高人探討，那是貧僧的福報。是您的後一句話引起貧僧思考：經歷了眼下這種激烈的顛覆和動蕩，對於個人和社會是益還是害？”

包爺爺長嘆一聲：“我愧為高官不假，但絕非高人。事實上，我都不敢去想你提的問題。謝謝法師的啟發。現在我還沒有討論這個問題的思想準備。” 他放下碗。看到我也吃完了，對我說，“進進，我在這兒已經給法師添了不少麻煩。你幫著做一些事。可以先跟你師爺爺學著洗碗。從明天起開始學習做一些力所能及的事，好嗎？”

“好！” 我很高興地答應了。

“也好。進進，鐵缽太沈，你拿不動。把碗和勺捧上，隨我去溪邊洗碗。”

晚上，師爺爺怕我睡著了不小心踢到包爺爺的傷口，讓我和他合蓋一條被子。我接著講從江安到青崖來的經歷。兩個老人聽得津津有味。青燈法師肯定地表示，單就生存能力的鍛煉來說，這樣的磨難對一個孩子尤其難得。

青燈法師對我說，既然來到廟裏，有些規矩要遵守。包爺爺還在養傷，所以我要在禪房讀書，跟他在寺院內外幹活，讓包爺爺有更多打坐和靜養的時間。我欣然答應。

清晨，青燈法師把我搖醒。我在他目光的注視下迅速穿好衣服，拿上洗漱用具，跟著他來到寺院外山澗邊洗漱。水真涼！他用臉盆裝了大半盆水，將裝了水的杯子也放進盆中，到了岸上平地才交給我。這才說了早晨的第一句話：“把水端進屋，盡量不要驚醒你包爺爺，然後到禪房來找我。”青燈法師話語很輕，正如他的每一個動作都輕，像是不願意驚動身邊的高山流水。但那輕聲細語中帶著一種莊重和威嚴。聽他吩咐，我覺得自己變得身不由己，同時生出七分歡喜，三分畏懼。

當我推開房門進屋時，包爺爺已經穿好衣服，端坐床上。我叫了一聲，“包爺爺早。”他點點頭，示意我放下水。“包爺爺，師爺爺讓我去禪房。” “去吧。他讓你做什麼，你就做什麼。廟有廟規。” “嗯。那我去了。”

可沒人告訴我哪間是禪房。我只能循著青燈法師飄逸的誦經聲，進了大殿的門。殿內還黑著，只點了蠶豆大的幾盞油燈。青燈師傅跪在蒲墊上，口中念念有詞。我小心翼翼地站在墻角，看他對著墻下拜。心裏想，這一定是小人書上說的“禮佛”了。

禮佛罷，青燈法師起立，退到大門邊，並不看我，說了聲：“小施主請隨我來。”

我輕手輕腳地出了殿門。在走進禪房之前，忍不住問：“師爺爺，您剛剛是在禮佛吧？”“是。”“可是，那兒沒有佛像啊。”“禮佛，不是禮拜佛像。佛，在我們心中。”

禪房除了書櫃，只有兩個蒲墊。青燈法師打開書櫃，取出幾本書，然後盤腿坐下。他用手勢和目光示意我也坐下。我學著他的樣子盤腿坐了下來。我注意到，他手裏拿的是幾本線裝書。

“進進小施主，你有在冰河上以讀書所得換取口糧的經歷，對讀書的重要性自有切身體會，不必老衲絮叨。”青燈法師緩緩道來，口氣完全不像我爸爸媽媽和老師。我鄭重地點頭稱“是”。

“你記憶非凡，此乃天賦，不可閑置。我佛門聖賢鳩摩羅什，在你這個年齡便能背誦經書百萬字。你父親從寺院出走之前，比你現在大不了多少。《金剛經》、《六祖壇經》背誦起來也是朗朗上口。”我一聽心裏發慌，忙問：“師爺爺，我也要背經書嗎？”他笑了笑。“你因緣未至，怎可強求你讀經誦經。我這裏有《唐詩》、《宋詞》、《古文觀止》。你願意先讀哪一本？”“要……背，背嗎？”青燈法師點點頭。我犯難了。我其實也怕背書。

“師爺爺。”我低下頭，輕聲說，“這些在外面都不讓讀了。說是四舊。”

“我也聽說了。只要是舊書，幾乎都搜出來付之一炬。”

“嗯。師爺爺，我親眼看到紅衛兵在三中操場燒書！”

“那就更需要有青少年勇擔重任，‘繼往聖之絕學’。進進，你如果在我這兒把被毀和將毀之書刻進腦子裏，你爸爸媽媽一定會很欣慰的。”

“好。我背！”“今天不難為你。你先找十首容易背的唐詩。我和你包爺爺等到聽了你背誦之後，和你一起吃早飯。”“可是，我一定會有許多字不認識啊。”“先猜。給我們背誦的時候，我們會糾正你的。” 他拿起一本《唐詩三百首》遞給我，然後飄然而去。

我手捧這本保存完好的古書，有種神聖的感覺油然而生。粗粗翻看，有一些詩媽媽讓我背過，比如“床前明月光”，“春眠不覺曉”。今天要是換上媽媽或者宋老師這麼佈置作業，我馬上就可以交差了。可是想到青燈法師莊重的面容，我怎麼能糊弄他老人家？於是，我挑了原先沒有讀過，而且稍微長一些的詩來背。

不知不覺地，陽光照進禪房。青燈法師說他和包爺爺要等我背完了十首詩以後一起吃飯，那我還是夾帶兩首熟悉的五言詩交差吧。

兩個爺爺果然在等我。師爺爺沒讓我坐下。“背誦吧。”我把手背在身後。“第一首，李白《暮從碧山下》：暮從碧山下，山月隨人歸，卻顧所來徑，蒼蒼橫翠微。……長歌吟松風，曲盡河星稀。我醉君復樂，陶然共忘機。”

包爺爺鼓起掌來。“進進，我們剛才還在談論你是不是會給我們背‘床前明月光’哩。好孩子！” 青燈法師也面帶笑容地說，“孺子可教也。”

最後的兩首我聲明，因為怕耽誤他們吃早飯的時間，所以選了過去背過的詩。他們都說可以。

早飯是半碗昨晚的剩粥，外加一個烤紅薯。飯後我主動去洗碗。當我回到房間，包爺爺讓我陪他散步。“接著給我講，你是怎麼去醫院，又是怎麼到青崖來的故事好嗎？” 我興奮地問。包爺爺點點頭，“好。”

我們出了寺院山門邊院墻的豁口，往前，進入樹林。沿著那條山澗邊的小路緩緩前行。山澗中激流奔騰。被飛濺的浪花打濕了的青巖，在朝陽的映射下閃著寶石般的光亮。陽光是透過樹梢照射進來的，一道道光柱在晨霧中隱隱約約地變幻著光影。我們在童話般的世界中穿行。小路被積雪覆蓋著，路邊半黃或全枯的茅草上壓著大約兩寸厚的雪褥子，像是往前伸延的路標。耳邊是流水嘩啦嘩啦的聲響，間或聽到吱啾吱啾的鳥叫。周邊的景象太神奇了，我一時只顧著四下張望，把讓包爺爺講他怎麼來青崖的事都忘了。

包爺爺停下腳步，欣賞著清澗中的激流。他彎腰撿起一個石塊扔進水中，像個孩子那樣高興地看著石塊濺起的水花。轉身興奮地對我說，“進進，你看這山裏的溪流！我們的人生就像流動的水，如果沒有落差，沒有飛石和暗礁，怎麼會激起美麗的浪花？” 包爺爺的話太美了！我張口結舌，只能一個勁兒地點頭。

“昨天下午我們說到哪兒了？” 包爺爺倒是沒忘我出門前的要求。

“說到我爸爸把你放到車上，又在廠裏留下你一個人逃離的假現場。但是你還沒說怎麼到的醫院，也沒說江邊的車和你的腳印是怎麼回事。”

“假現場？哈哈，這不是我的原話吧？你說得好。看來你讀過一些刑偵類的故事。對。那天不是下大雨嗎？所以，只要在我躺過的工具房地面，大門，還有車隊辦公室裏留下我的手印腳印和血跡就行了。外面的足跡反正是留不住的。” 包爺爺陷入回憶。“我當時不省人事。發生了什麼，都是你媽媽後來說的。你爸爸把車開進城，停靠在人民公園附近大街上，自己回到家。你媽媽正焦急地等在那兒。你媽媽把你叫醒了是不是？”

“嗯。我媽媽把我叫醒，說有話要交代我。” 我當時睡得稀裏糊塗的，可是現在卻記憶猶新。“我問媽媽幾點了。她說一點缺一刻。她告訴我，她和爸爸有急事要出去一趟。讓我第二天早晨自己吃早飯，然後和平常一樣找小五子玩。如果有人問，就說爸爸媽媽在家裏寫檢查。媽媽還說對不起，讓我這麼小就跟著擔驚受怕。”

“該說對不起的是我。讓你們一家子妻離子散，吃盡苦頭。”包爺爺難過地說。

“我們怎麼可能不救你呢？包爺爺，你接著講。”

“你爸爸一口氣把車開到江東省省會鎮寧市的工人醫院。那個醫院院長過去是我們部隊的軍醫，姓郝，也被打倒，靠邊站了。你爸爸深夜敲開郝院長家的大門，從被窩裏把郝院長拉了起來。他倆又偷偷地打開手術室的大門，由郝院長給我動了手術。

天亮以後我們離開了醫院，帶了不少藥品和繃帶什麼的。你媽媽讓我放心，說這一段到處管理都極其混亂。不必擔心郝院長受牽連。我的手術秘密地在外省做，聶文龍他們根本查不到。尚和安排的下一步，是把我送到香河。由香河轉青崖。你媽說，去青崖連條公路都沒有，是個理想的世外桃源。”

“可是，……” 我馬上聯想到自己來青崖乘的那艘機動客船。“香河認識我爸爸媽媽的人太多了。怎麼能不讓人知道呢？”

“進山要坐船。” 包爺爺似乎明白我在想什麼。“我們當然不能使用公共交通工具。如果上了從香河到青崖的客船，不用造反派來查也會有人去報告的。而且這件事知道的人越少越好。你爸爸在香河工作過幾年，對地方和人都很熟悉。他在基層幹部和群眾中威信很高。他並沒有進城，而是把車開到洪山湖邊一個隱蔽的地方停下。自己跑到附近的漁業生產大隊，找來也是當年從部隊上復員轉業的一個姓楊的同志。老楊自己就是漁民，家裏有船。他們把我的擔架擡上了船。你爸爸說，他必須回江安。有些事得他來做。那個復員軍人老楊說，‘尚團長，你放心，我一定配合蕭老師，把老政委安全送到唐大哥家。這件事就是有人把刀架在我的脖子上，我也絕對不會說出去。聶文龍那個狗日的出賣首長，日後絕沒有好下場。我們這些有熱血的弟兄們戰友們絕不輕饒了他！’ 我們一葉扁舟渡過洪山湖，進了香水河。老楊對山裏河道很熟。他在快到青崖鎮之前拐進一條小溪。靠岸把船拴牢。他和你媽媽從山間小路把我擡到唐家坳。你媽媽真得很頑強，了不起啊！”

“怪不得媽媽回來晚了幾天。”我這才明白。

“到了唐家坳村邊。老楊先進村找你唐奶奶一家。唐支書他們弟兄倆來了。這時候你媽媽連站都站不起來，她都給累癱了。是你唐六叔背著她進村的。她整整昏睡了一天一夜。直到第二天下午才醒。好說歹說，她才同意第二天清晨離開唐家坳。她惦記著你和你爸爸，不放心啊。”

“我媽媽從香河回江安怎麼也沒人知道呢？”

“你爸爸都安排好了的，讓老楊去找熟人，開卡車把你媽媽送到江安。這樣做，神不知鬼不覺。而我也就從人間消失了。你六叔特地去了趟江安。他得到你爸媽都被抓走的消息。但是沒有找到你。他還告訴我，造反派的小報上說我投江自殺了。”

“嗯。我也以為你真的自殺了。那一陣子關於你的謠言可多了。也有人到我家來調查。後來我們聽說，中央派人到江安專門調查你哪兒去了。聶文龍帶人查出，你把車開到江邊一個廢棄的采沙場，然後投江自殺。車上駕駛室有你的血跡，從駕駛室到水邊有你的皮鞋腳印。水邊淤泥裏還找到你的一隻皮鞋。我問爸爸這些是不是真的。爸爸說，包爺爺很堅強，不會自殺。”

第二十章

我在草廟一待就是一個星期。眼見著，山路上的積雪天天地消失了。

我每天早讀背誦詩詞散文，上午陪包爺爺散步後，跟青燈法師做寺院清潔和維護的活，晚上在火盆邊，聽包爺爺和青燈法師討論問題，似懂非懂地感受到一點他們超凡入聖的境界。

兩個老人都愛聽我講從夏天到冬天，也就是包爺爺離開以後，我在江安的見聞。特別是包爺爺，問得很仔細。他感慨地說，“工廠停工，學校停課，市場萎縮，農村的基層幹部被打倒，軍隊遲早會介入地方的政治運動。這是混亂！這場混亂完全是人為的。” 他看著青燈法師。“為什麼？”

青燈法師幽幽地說。“世人追逐幻相，由追逐而癡迷。” 包爺爺目不轉睛地盯著青燈法師，似乎想從他的臉上找到更多答案。過了一會兒，他嘆了一口氣，“說得好啊。”

看他們不像是要結束談話的樣子，我把廁所“反標”的事說給他們聽。因為我總覺得這件事裏有我不明白的地方。

“那麼，你哪兒不明白呢？” 包爺爺問。“嗯，陳胖子他那麼積極，為什麼會寫反動標語呢？還有，我爸爸為什麼問我紙的樣子和毛筆字寫得好不好？” “你是怎麼想的？” 包爺爺和青燈法師交換了一下眼色，笑著問我。看到他倆心情好轉了，我也高興起來。

“我想爸爸能猜到是誰寫的。毛筆字寫得好的人不多。另外，這張反標的內容有點怪怪的。” “嗯，我看那幾個字是陳胖子寫的不會有錯。但那張紙是從寫廢了的大字報上撕下來的。而這張紙不是大字報的第一張，這一張恰恰從那幾個能構成反標的字開始，又正好在思想的‘想’字那兒被撕斷。” 哦，我恍然大悟。“其實，單單寫‘反對毛澤東思想’這幾個字，一點兒意義也沒有。那個陳庭長更不可能在風頭正盛的時候寫什麼反標。”

“那，我爸爸是不是一聽我說就明白了？” “你說呢？” “肯定！那為什麼我爸爸不說出來？” “你說呢？” “陳胖子是壞蛋！活該倒楣！” “是嗎？”

包爺爺這麼一問，把我給問住了。難道我說錯了？

“你爸爸已經被撤除職務，靠邊站了。沒人讓他說話。情有可原。但是，以我對他的瞭解，他有可能和你一樣，對陳胖子的倒楣幸災樂禍。這可不好啊。進進，你記住，我們的災難，社會的混亂，都是從是非不分開始的。陳胖子是個恩將仇報、顛倒黑白的小人，但這不能成為我們對他也可以不論是非的理由。” 包爺爺轉向青燈法師，“其實，我更擔心的是僅憑幾個字就訂人重罪的文字獄，擔心誰都明知這是誤打誤撞的‘反標’，卻沒有一個人敢說出來的現象。”

“善哉。” 青燈法師莊重地點了點頭。

包爺爺愛回答我的問題，但我不太敢問青燈法師。問了，他的回答也十分簡短。可是，我內心卻希望聽到青燈法師對問題完全不同的解答。一天我給兩個老人背誦了《嶽陽樓記》，包爺爺大為贊嘆，說青燈法師“開發了孩子記憶力的潛能”。我馬上借著機會問：“師爺爺，為什麼我過去害怕背書，可是坐在禪房裏，一個早晨就能背誦這麼長的文言文呢？”“有菩薩加持。”他回答。“菩薩加持？”我把臉轉向包爺爺。包爺爺點點頭，“是這樣。”

散步的時候，包爺爺對我說，“我們共產黨員，信仰唯物主義，並不主張把菩薩神仙看作客觀存在。青燈法師信奉佛教。佛教的教義，實話說我也不懂。但是，現在我願意瞭解和學習。”“你剛剛同意青燈法師的話了呀。”“你在禪房裏就能夠專心致志，短時間內記憶和背誦自己並不完全理解的詩詞古文。這在青燈法師看，是因為有菩薩的加持。我覺得，至少我們可以這樣去理解。否則，你過去上學時背書是件困難的事，等到六叔來接你回唐家坳，你早晨拿起書本，很有可能怎麽也背不下來了，那又如何解釋？”“包爺爺，我離開了草廟，肯定一早上背不了十首詩詞，或者一篇古文。要是能那樣，我長大了得多有學問啊。”“噢，現在就開始給自己找藉口了？”“不是！我真的覺得奇怪。”

包爺爺把手背到身後，目光平視，沒有言語。他肯定是在思考這個問題。

“山中萬籟俱靜。雷光寺給人一種莊嚴肅穆，超凡脫俗的感覺。你爸爸媽媽說，唐家坳是個世外桃源。那麼，雷光寺這裏簡直就是另一個世界了。進進，你有沒有覺得，在這裏，人的心境變得同過去完全不一樣。有一種……”“有一種被泉水洗得幹幹淨淨的感覺。”“對。對極了。正所謂洗盡凡塵。你不簡單啊，進進。”

“這和我記憶力變好有關係嗎？”“你說呢？”“我看太有關係了。還有，師爺爺和我過去見過的人完全不一樣。他……”我一時想不出很好的語言來描述。包爺爺接過這個話，“他有一種吸引力和感召力，以及不容置疑的威嚴。他給你佈置的功課，讓你覺得必須完成，也能夠完成。”“對的，對的！就是這樣。”

“所以，山中古剎寧靜神秘的環境，莊重威嚴、有著人格力量的大師，這就是我們對‘菩薩加持’的理解。進進，你對這樣的總結滿意嗎？” “嗯。” “但我們沒有必要引申出真有菩薩的結論。” “是。青燈法師也說，佛和菩薩在我們心中。”

六叔接我來了。看到六叔我很高興。不過，我真捨不得離開草廟，離開包爺爺和青燈法師。再說，這幾天我學了多少東西啊。

“包省長，有些情況我想跟您反映：前天我到公社去開會。張主任說，省裏來香河排查您的工作組還沒有走。他們把青崖列為排查重點。原因是他們查出了我們家和尚書記家的特殊關係。” 六叔說。

我一聽就著急了。“那聶文龍知道我到青崖來了嗎？” 六叔搖搖頭。“可能還不知道。但是如果聶文龍來到青崖，非常有可能來唐家坳。而在唐家坳如果看到進進，會不會聯想到您呢？” 他看著包爺爺。我馬上說，“那我就更不能回唐家坳了！”

包爺爺沈思片刻，對六叔說，“如果聶文龍知道進進是你媽媽帶大的，他馬上就會想到，尚和是孤兒。蕭老師即使有親戚在外地，處境也不會好，進進有可能來投奔你們。他自然會調查是否有個十歲的男孩兒到了青崖，不管他叫進進還是金伢子，還是其他什麼名字。他只要在洪山湖的客運碼頭一打聽，不要說青崖公社的張主任，船上和碼頭的員工，乘客，哪個會忘記有這麼個男孩呢？如果聶文龍到了唐家坳卻見不到進進，豈不說明這附近還有一個藏身之地嗎？”

哎呀，我怎麼就沒想到？這太危險了。我得回去。

六叔說，“可是聶文龍如果對孩子使出什麼威逼手段，那也是很危險的啊。”

“為了保護包爺爺，我才不怕聶文龍哩！” 我堅決地表示。六叔表示贊同。“是，誰也不怕他。再說，這裏是唐家坳，不是江安。可是，我們不能不商量著怎麼提防他。除了進進，家裏其他幾個孩子我們都要事先關照好，不能透露任何消息。”

包爺爺說，“進進來投奔他唐奶奶，這和我被運到唐家坳完全是兩碼事。聶文龍當然會據此懷疑，卻不會找到證據。尚和安排得細致嚴密。幾個知情的孩子是保密的薄弱環節之一。能不能不讓聶文龍和幾個孩子正面接觸？”“能！沒聽說什麼人能夠提審孩子的。在唐家坳，我們也由不得他這麼做！”六叔肯定地說。我也插話，“我們看到聶文龍就躲起來。”

“不過，只要聶文龍他們到唐家坳，並且住下來。他們一定會瞭解到和查到草廟來。他們手持‘中央文革小組’的尚方寶劍，不難‘發動群眾’。如果他們來，就不僅僅是我的劫難，還會連累雷光寺和青燈法師。”包爺爺沈重地說。

“一切都有定數。是劫逃不過。包省長不必為有可能牽連到老衲和雷光寺自責。”青燈法師開口說話了。六叔問：“青燈師傅，您看我們要不要把包省長轉移到其他小山村去？”青燈法師搖了搖頭。“在草廟危險，這只是你們的假設。當初尚廳長在安排包省長的藏身之處時，不是考慮到這裏會比其它地方更安全嗎？情況並沒有變，只是惡人靠近了一步而已。何必自己亂了方寸。”

包爺爺說，“到底還是法師清醒。是啊，尚和與你們唐家關係特殊。可是你們唐家同青燈法師的關係，如果沒有我的到來，同其他群眾並無區別。他們更有可能集中排查村裏與唐家關係密切的人家。好吧，我還是住在這裏。”青燈法師鄭重地點頭表示贊同。

大家意見一致了，似乎都松了一口氣。我也表達了自己的意見，“包爺爺，你就放心住在這裏吧。”包爺爺微笑著說，“你們也放心地走吧。”

從草廟到唐家坳，山路上的積雪都化了，我穿著球鞋走路，覺得很輕松。似乎不僅是路好走，而且距離也變短了。我把感受告訴給六叔。一直悶頭走路的六叔說，“是呀，山路好走了。前天我去青崖開會，聽說縣裏到青崖的客船已經恢復正常運行。這樣的話，聶文龍帶著中央文革調查組，隨時都有可能來啊。”原來，六叔還是非常擔心這件事。可不是嘛，聶文龍那個壞蛋真的來了。包爺爺的危險就會加劇。

我問六叔。“如果沒有聶文龍，中央文革小組就不會查到香河來，是嗎？” 六叔沈著臉說，“本來，你爸爸做得天衣無縫。誰都相信包省長投江自殺了。文革開始後，從中央到地方死了多少人啊。要查還有個完？說個不好聽的話，就是家屬跪地磕頭，求著上面查清親人是死是活，怎麼死的，那也沒人理。為什麼？那都是革命造反派幹的事，叫做革命無罪，造反有理！” “那為什麼到了包爺爺這兒，他們查得這麼緊？” “就是因為聶文龍這個王八蛋不依不饒。說什麼死要見屍，活要見人。” “因為他恨包爺爺嗎？” “他整包省長，一開始興許只是想報復包省長和尚廳長處分了他，出出他的一口惡氣。後來發現中央文革小組的大人物一心想整倒包省長，他便把整包省長當成邀功請賞，鹹魚翻身的機會。包省長的失蹤，讓聶文龍害怕起來。他害怕將來風向一變，包省長又出現了。那還能饒得了他？他一定要把可能還活著的包省長找到，交給中央文革小組。如果包省長真的死了，他也要借著運動的勢頭，查明包省長的下落。一來可以立功，二來絕了後患。” 六叔氣憤地說，“我真希望這個王八蛋掉到洪山湖裏淹死。他不死，還不知道要惹多大的禍，連累多少人哩！”

是啊。他要是帶人查出包爺爺，不僅包爺爺會被帶走，吃盡苦頭。我的爸爸媽媽，還有從司機小季叔叔、郝院長、漁業大隊的楊伯伯、唐奶奶一家，到青燈法師，不都成了“對抗文化大革命，包庇走資派”的“罪犯”了嗎？我的心情變得沈重起來。我有些後悔沒請教青燈法師怎樣求菩薩保佑，讓寒流再來，洪山湖結冰。這樣，聶文龍他們就進不了山了。

回到唐家坳，看到唐奶奶和三伯一家人，我高興是很高興的，但是唐奶奶很快就發現了我有心思。吃飯的時候，奶奶問，“金伢子，你在草廟這幾天過得好嗎？” “嗯，過得好。” “你包爺爺和青燈師傅都好嗎？” “都好。” “你是捨不得離開他們還是怎麼的。有什麼心事嗎？” 他們一家三代老老小小都盯著我看。

我瞅瞅他們，忽然忍不住地哭起來。

他們一家人都慌了神。“哪兒不舒服啊？” “是你六叔說你什麼了？” “想你爸爸媽媽了？” 他們你一言我一語地問。柱子兄妹三人都放下碗筷，直楞楞地看著我。

我好不容易才控製住情緒。“聶文龍要來了。……就是那個把包爺爺打成重傷，又……抓了我爸爸媽媽的壞蛋。”

唐奶奶看了看三伯。三伯說，“六弟去公社開各大隊民兵營長會議，傳達中央文革調查組的電話指示。張主任把六弟單獨叫到辦公室，說那個姓聶的專門提到我們家。” “說什麼？” “說我們家和尚書記的關係特殊，而尚書記又是最有可能把包省長偷偷藏起來的人。”“噢，有這麼斷案子的？有誰在香河看到過包省長和尚書記？又有誰在唐家坳見過包省長？” “六弟也是這麼問的。張主任說，他也是這麼問聶文龍的。可是聶文龍說，沒人見過並不代表沒有發生過。他們在發現農機廠卡車的采沙場附近，用大網反復拉，又動員下遊江邊各公社社員沿江邊找。屍體倒是找到好幾個，沒有包省長。所以他認定包省長還活在人間。” 唐奶奶氣憤地罵，“這個狗雜種，敗類！他就該死！”

“奶奶，那個聶文龍會來的。他會找到這兒來！” 我帶著哭腔，又急又恨。

“金伢子，你別害怕。”三伯說，“調查組的人不會總待在香河不走。他們來香河好多天了，為什麼一直沒到青崖來？說明大多數人不相信，也不願意來這兒。都快過年了，他們就更不願意進山來。你們那只客船在月亮灣被困好幾天的事一傳開，沒人敢冒險，客運公司也不肯開船。等張主任把落實排查工作的匯報遞上去，這事也許就結束了。”

“那他要是不相信，硬要帶人來一趟呢？”

“來呀！唐家坳除了我們家，沒有人見過包省長和你媽媽。對了。柱子、石頭，還有杏花。你們幾個伢子的嘴給我把嚴實了。要是透了風聲，那被害的人可就不在少數。聽到了嗎？”
“聽到了！”柱子兄妹三人齊聲說。

柱子問：“那金伢子呢？張主任和青崖的好多人都知道金伢子來我們家了。”三伯說，“金伢子爸爸媽媽都被抓走了，家被封了，他沒處可去，來這兒找你奶奶還不是天經地義的事？就算尚書記被審查，金伢子的爺爺奶奶在舊社會都是餓死的，都是貧雇農、苦出身。他的家庭出身比誰都好。革命後代來找革命後代，貧農後代來找貧農親戚，怎麽啦？這不還是共產黨的天下嗎？”

“懂了。他們不敢對金伢子怎麽樣。那，我們還是能帶金伢子出去玩的，是吧？”柱子問他爸。三伯說，“當然了。這兒是唐家坳。他聶文龍要是敢對金伢子怎麽樣，我就敢打斷他的狗腿！”

柱子聽了他爸的話，高興地拍了一下我的肩膀，鼓起掌來。石頭和杏花也高興地跟著鼓掌。我對自己剛剛的害怕不好意思起來。

唐奶奶說，“柱子，你們也不要無事生非地往村裏跑。人心隔肚皮。前一陣子在城裏上學的那兩個小子不是還想學外面的樣，給你爸爸貼大字報嗎？沒事在家，聽金伢子講故事。”
“嗯。奶奶，我們上山玩總可以吧？”

“可以。”三伯替奶奶回答。“媽，要是聶文龍真的找到我們家來，……”“我根本就不會讓他進家門！”唐奶奶堅決地說。“我也想不出那個調查組的人能用什麽名義帶走金伢子。”

夜裏，我很久很久都沒有睡著。後來睡著了，做了一個奇怪的夢：

我在黑乎乎的樹林裏。身邊只有喜子跟著我。腳下是深深的軟綿綿的積雪。忽然我聽到一種可怕的“嚓，嚓”的聲音，轉身一看，有幾個黑影從山下向我移動。是狼！我叫“喜子！喜子！” 可是偏偏這個時候喜子不見了。我拼命往山上爬。回頭看，狼群離我越來越近。狼的眼睛裏閃著綠瑩瑩的光，而我已經走到懸崖邊。樹叢後面突然躥出一頭大狼，張著血盆大口，露出白森森的牙齒。我沒辦法，彎腰捧起一團雪，使勁攥成雪球，朝著大狼頭上狠狠地扔過去。雪球在大狼的頭上開了花。狼變成一個人。是聶文龍！這時候，喜子不知怎麼又出現在我身邊。它“呼”地向聶文龍撲了過去。

醒來，我的心“砰砰”地跳。好半天才意識到自己是在床上。被子早就被我蹬到床下去了。我的兩個手心裏都是汗。

第二十一章

吃完早飯石頭和紅杏就要求我講故事。我對他們說，在草廟，青燈法師每天都要給我佈置功課。做完功課還要幹活。晚上才是說話的時候。“你們寒假作業都做了嗎？”石頭搖搖頭。杏花咧開嘴笑起來，“我還沒上學！”

“柱子，你呢？”我問。柱子摸著鼻子憨笑。杏花說，“我大哥小學畢業了！他不上學，哪有作業要做？”哦，對了。我怎麼忘了柱子現在沒學可上。“那，柱子，我們倆默寫唐詩吧。” 看他面帶難色，我說，“我爸爸說過，人不學習腦子就荒廢了。”

剛進門的三伯聽我說這話特別高興。“柱子，你看看金伢子是什麼覺悟！金伢子算是你奶奶給你們幾個請來的塾師。今後你們都要聽他的，跟著他讀書。”

“三伯，什麼叫塾師？” “塾師就是私塾先生。” “哦，我懂了。可是柱子哥小學都畢業了。我剛上完四年級，我怎麼能當他的老師？”

“那有什麼，”三伯說，“我老父親參加革命比尚書記早。我大哥年齡也比你爸爸大。他們不都是尚書記的部下？我可聽你六叔說了。你在草廟幾天就背了幾十首唐詩宋詞和古文，都是大段大段的。你比青崖的小學老師還強哩。我家這幾個孩子有你，可算是春旱遇上了及時雨。哎，你們幾個聽著！讀書的事都要聽金伢子的。”

山裏的孩子既老實又虛心。他們居然都願意聽我的。就連杏花都按照我寫的“一、人、口、手、天、地、山、水”，在紙上描寫。我默寫唐詩，然後教給柱子背，石頭唸。唉，我不能說他們笨，可是他們一遇到學習，腦子好像就不管用了。柱子明明是學過“床前明月光”的，可是他不僅背不下來，連讀起來都是結結巴巴的不順當。

等到我默寫完五首詩，柱子才勉強會背那四句詩。石頭也能把詩唸順了。還是杏花聰明些。她把八個字都認全了，還能把“一、人、口、手” 默寫下來。這個“塾師”可真不好當。

“今天學習結束了。柱子，帶我上山玩吧。出去我聽你的。” “好！” 他們兄妹三人都如釋重負。石頭扯了一下妹妹，“杏花，你在家！你跑不快，別讓大狼給叼走了。”

“真有狼？”我想起了昨夜的夢。“有！” 石頭大聲說，接著轉過身沖我眨了眨眼睛。柱子也說，“杏花，你爬不動山，在家待著吧。我們也不是出去玩，是上山撿柴火。”杏花的小嘴撅起來了，可是沒鬧。要是城裏的孩子肯定會繼續纏著她哥。

柱子找來三根繩子。我學著柱子和石頭，把繩子一圈圈繞在腰上。柱子又教我最後給繩子打上一個結。我們帶上喜子出了門。喜子高興地直個撒歡。

出了家門不遠就開始往後山爬，一轉頭，整個唐家坳都在眼底。“柱子，我們倆從青崖來，就是從這條路進的村是吧？” “是啊。我爸爸不想讓村裏人看到你。有人會記得你是尚書記家的。所以我們從山腰小路繞了半圈。你看，那邊才是從公社到我們村的大道。”他用手指了指村口的方向。其實，“大道”也就不過是兩人可以並行的小路。而我們腳下的小路只能走一個人。

“我記得。村口有棵老槐樹。樹上吊著一口銅鐘。”“對，臘月裡沒有農活幹了，幹活的時候早晨都敲鐘。”石頭說。

“那邊有個大樹枝。” 我想起出來撿柴的任務，告訴柱子和石頭我的發現。“看到了。”柱子說，“一個星期前那場大風大雪，吹斷了好多樹枝，特別是樹上的枯枝。我和石頭已經上山撿過幾次柴火了。” “那我們過去把它拖過來唄。” 柱子搖搖頭。“我們還是到遠處去撿，把村邊的柴火留給五保戶和家裏沒什麼勞動力的困難戶。”

哦，原來是這樣啊。怪不得過去總聽爸爸說，山裏人厚道。可是，我又想，運動一搞起來，為什麼這些進了城的山裏人和鄉下人也跟著搞批鬥，整人、打人？聶文龍、陳胖子和韓興旺他們過去不都是山裏的，或者農村的人嗎？搞運動最積極的也是他們。他們是過去原本不厚道，還是變了？他們是怎麼變的？而我爸爸、蔣師傅一家、唐奶奶一家為什麼還能保持著厚道，看重情義？

喜子從後面跑過來，往我腿上蹭。我摸了摸它的頭，一下子想起夜裏的夢。剛想講給柱子和石頭聽，話到嘴邊又忍住了，只是問了一句，“柱子，這附近有懸崖嗎？” “什麼叫懸崖？”石頭沒聽說過這個詞。“就是從上到下，像墻一樣筆直筆直的山坡。” 我解釋。“有啊。”他倆異口同聲地回答。石頭問，“你是怎麼知道的？上次來這兒，我哥帶你去採石場了嗎？”柱子也覺得奇怪，“你是聽六叔說的吧？”

“我是猜的。上次來的時候我根本沒進山，頂多是在村子附近玩。現在帶我去看看吧。”我央求。“奶奶特別交代，那兒危險。讓我別帶你去那兒玩。” “怎麼會有危險？我們又不是去爬懸崖。” “採石場是村裏蓋屋取石頭的地方。爆破以後留下一個大豁口。那上面的石頭松動了。有些還懸在那兒隨時會掉下來。就算不到跟前去，遇上塌方，石頭落下來會往前滾，想跑都跑不掉。” “怎麼去那兒？” “沿著河，繞到這座山的後面。那兒不好玩，我們別去了。去了幹嘛？” 看得出來，柱子真的不願意帶我去。

“我過去只是從書上看過有懸崖，從來都不知道真正的懸崖像什麼樣子。你還是帶我去吧。” “那好，等回去吃了飯，我們下午去。” “你不是說就是這座山？我們不用去採石場，現在就去懸崖頂上，從上面往下看才能看出什麼叫驚險。” 柱子睜大了眼睛。“哎喲，那更危險！山背後太陽照不到。冰雪可能都沒化。滑下去命都沒了。” “看的就是驚險啊。我們有預防，手拉著手，再不行用繩子。你是山裏長大的，還害怕危險？從青崖來這兒的路上，你那麼勇敢。”

柱子為難地揉了揉鼻子。“好吧。可不能出事。”

連我自己都說不清去看懸崖的想法怎麼那麼強烈。

山脊有人踩出來的小道。走了一會兒，柱子指著下面說，那底下就是採石場。可是，什麼也看不見啊。“柱子，這不算，等於什麼也沒看到。” “哎呀，金伢子，你一定要到懸崖邊上去幹什麼？” “體驗一下驚險。” “從青崖過來的那天，你差點兒滑到山谷裏去，那個體驗還不夠？” “那不算。突然跌倒了，沒有心理準備。跌倒以後，腦子裏一片空白。” “不行。奶奶和爸爸知道了會罵我的。” “不告訴他們不就完了。石頭，我們拉鉤，誰告訴大人，誰是小狗。” 我伸出彎曲的小拇指。石頭覺得新鮮，學著我的樣。我用小拇指勾住他的小拇指拉了拉。然後伸向柱子。柱子嘆了口氣，勉強和我拉了拉，然後轉身繼續往前走。

“柱子，你上哪兒？” “找路。” 柱子解釋說，“那些在山崖鑿眼放炮的人，得在樹上拴根繩，拉著繩子往下去。你們看，就在這兒。” 他手指著灌木間被人砍出的缺口。我們從這裏跟著柱子，抓著灌木和大樹裸露的根，慢慢往下走了二三十米。

“到了。”柱子說。“哪兒啊？” 我和石頭根本看不出前面有什麼異樣。眼前只有一叢叢灌木、幹枯的荒草和稀稀拉拉的小樹。腳下是打滑的斜坡。頭頂上灰濛濛一小塊天空被左右兩側樹木擠壓著。大樹落了葉，但枝條相當濃密。

“這兒特別危險。”柱子叮囑，“你倆慢慢過來，身體重心放低。”其實，不用他說。坡這麼陡，我們早就手腳並用，彎著腰撅著屁股了。

等我們挪到柱子站立的地方，這才看清：越過灌木和荒草叢，前方一小塊地方什麼也沒有。我又往前挪了一步。拉著灌木枝，探出頭看，下麵像一個深井。“別再往前了！”柱子一把抓住我的胳膊。“我沒有。我就是想看看到底有多高。”“這裏離採石場地面大約 40 米。”“你怎麼知道的？”“六叔說的。他做過測量。”

我問柱子，“唐家坳蓋房子用的石頭都是從這下面取的嗎？”他說，“是啊。靠山吃山靠水吃水。我們山裏想找到做磚坯的泥不容易，石頭有的是，木頭和茅草也多得很。但是不能亂砍亂伐亂刨。所以集中在後山背面開山取石頭。”

“柱子，從這兒還能往前走嗎？”我用手指了指山崖邊的前方。“再往前就沒路了。你看那幾棵大樹。鑿眼裝炸藥放炮的人就是把繩子一頭拴在那上面，一頭系在自己腰上，然後抓住繩子把自己放下去的。金伢子，你要不要試試？”他逗我。“不用試了，這就夠險的了。”我笑著回答。“那我們可以離開了？”“好，走吧。謝謝你，柱子。”

老實說，這兒和我夢中的懸崖不一樣。但是，這次探險還是蠻過癮的。

我們在山脊兩邊撿了不少樹枝。柱子用柴刀把樹枝砍成一米多長，捆起來。他背一大捆，石頭背得比柱子少。我背的一捆最小。就這也把我累得直不起腰來。

傍晚，在村裏家家戶戶煙囪冒出裊裊青煙時，有線廣播喇叭裏傳來張主任那熟悉的聲音：“……現在播送重要通知：中央文革小組和省工人造反司令部聯合調查組，明天將進駐青崖公社。請各大隊黨支部書記務必在明天中午趕到公社，參加迎接調查組的活動，並聽取調查組的指示。”

吃晚飯的時候，家裏的氣氛很沈重。三伯再次告誡我們：“如果遇到別人議論調查組的事，趕緊走開。實在走不開，嘴巴也都給我嚴實點。石頭、杏花，我們家秋天裏沒來過人。聽到了嗎？” 他倆忙說，“知道了！”

奶奶又往我碗裏夾了些菜。“金伢子，你放心。沒聽你三伯說嗎，你是革命後代貧農後代，誰也不敢把你怎麼樣。再說，那個姓聶的到了唐家坳，也不能像在江安那樣無法無天。”我沒吱聲，心裏沈甸甸的。

夜裏沒睡好。早晨的功課也沒心思做了。石頭和杏花不知道愁，玩得照樣很高興。柱子一直陪著我，教我做逮野兔的彈簧夾子。

六叔下午便來家裏等消息。三伯到了天黑之後才回來，帶來了大家最不願意聽到的消息：聶文龍要帶隊進駐唐家坳。“姓聶的是態度最惡劣的家夥。他不過是副組長，但是一副霸道的樣子，好像有證據似的，一口咬定包省長很可能藏在我們雲嶺大隊。當然，他沒有指名道姓地說是藏在我們家。就連北京來的組長都提醒他說話要有證據，要相信貧下中農和基層幹部。”

“他們什麼時候來？”六叔問。

“明天就來。”

調查組來的那天是臘月二十。

唐家坳極少有外人來，交通不便嘛。從香河縣城到青崖鎮只有一條水路，從青崖鎮到唐家坳中間還隔著兩座山一條河，山巒陡峭，山路崎嶇。再說外人來這兒幹什麼？可是這一次一來就是六個人，而且還是北京和江安來的“大人物”。早晨三伯到大隊部落實他們的住宿和燒飯的問題，村裏人便興奮地議論開了。

按理說，上午從青崖鎮出發，這幾個人中午就該到唐家坳了。可是一直等到下午太陽快落山的時候他們才進村。鄰居家的雙胞大林和小林跑來報信：“柱子，石頭，北京的人來了！快去看啊！”柱子剛答應，他們又跑到另一家報信去了。我心裏想，要不是當初三伯帶著我和柱子在山腰林子裏繞著道進家，這些孩子是不是也會滿村子叫“柱子家有人來了”？石頭心裏癢癢想去看熱鬧，悄悄問：“哥，我們去不去？”“有什麼好看的。”柱子說。話音剛落，外面又有人喊，“柱子，石頭，還不走啊！”柱子示意我進屋，然後走到門口問，“大栓，來人就來人，有什麼好看的？”那個叫大栓的男孩一腳跨進唐家大門，繪聲繪色地說，“來了六個，摔傷了兩個。三伯和六叔背著他們進了大隊部。”“好，那得去看看。你們先走，我們這就來。”

柱子進屋跟我說，“金伢子，你一個人在家吧。我和石頭去去就回。”我忽然生出也想去看看的念頭。“天馬上就黑了，看不清誰是誰。我也去看看吧。”柱子猶豫了一下，還是點了點頭，“好吧。”

等我們到了大隊部，那裏已經聚集了好多人。我們幾個孩子從人縫裏往前擠，一直擠到窗子下面，踮起腳尖往屋裏看。

屋裏點著馬燈。聶文龍和一個幹部站在三伯和六叔對面，另外幾個幹部垂頭喪氣地靠墻，坐在稻草鋪上。

聶文龍說，“唐書記，我們大老遠的來，您就這麼接待我們？”“喲，哪兒招待不周了？”“連鋪被都不給？”“聶組長，您當我們這兒開旅館啦？我跟張主任說了，讓你們務必自帶行李。我從哪兒給你們變出被子來？”“老鄉家裏借幾條不行嗎？”“您可真是省裏的高官，不瞭解民情。我們山裏很多人家只有一條被子，拿什麼借給你們？”

“一家人只有一條被子？”說普通話的肯定是北京來的。他張大嘴巴，不敢相信。“陳組長，您隨便挑一個老鄉問問。我能當著這麼多鄉親說瞎話？所以我跟張主任說，你們來，我們歡迎。可是行李和幹糧需要自帶。”三伯再次強調。聶文龍一聽火了。“什麼？帶幹糧？你們大隊連飯都不給做？”“聶組長，山裏窮啊。我們山裏可耕田極其有限。秋收之後，各生產隊留下種子之後，所有糧食都分了。大隊沒有存糧，一粒玉米都沒有。今天這鍋雜糧粥和烤山芋是我個人從家裏拿來的。”

陳組長連忙說，“唐書記，您別誤會。我們是帶了錢和糧票的。” “陳組長，可是村裏沒有糧店和飯店。我跟你說，我們這兒只有當年紅軍來過。紅軍可沒有吃過老鄉的一粒糧食，也沒有讓我們給準備被子。”

“你胡說！”聶文龍叫起來。“紅軍不就是靠老百姓提供的紅米飯南瓜湯堅持戰鬥的？”“歌裏唱的吧？老聶，虧你還是部隊出身。我知道你沒有當過紅軍。可是新四軍和解放軍也沒在我們唐家坳征過糧。因為這兒不產糧！那我告訴你，每次紅軍來，都要把幹糧留一些給老百姓。他們的給養是靠打縣城和打土豪得到的。”三伯沖門口叫了一聲：“龐大爺，您是老紅軍。我說的有錯嗎？”“沒錯。”龐大爺答應。

看得出，調查組的人聽了這話情緒更低落了。只有聶文龍還怒氣沖沖的。陳組長問。“唐書記，對不起，給你們添麻煩了。能不能給點盆火？”“都是幹草鋪，點火不安全。這兒老鄉沒有家裏點火的。好歹你們有軍大衣或者棉衣，比我們許多社員家要強。我們家家的被子都少說用了十來年，棉絮早空了。”“傷員怎麼辦？”“我讓人去叫赤腳醫生了。我還沒問，他們怎麼受傷了？”“山路背陰的地方冰沒化，路又陡，滑倒了。”

三伯幽幽地嘆了口氣。“陳組長，在我看啊，您這段山路走的，也算是一種調查吧。您要找的人，被打得暈死過去了。那傷不會比這兩位同志輕，是吧？他多大年齡？生出翅膀飛進山來了？我沒文化水準低，可真是不忍心看著你們城市人遭罪。”聶文龍不樂意了，“哎，老唐，我們剛到，你就想幹擾我們的調查？”“嘿，我哪兒敢幹擾您聶大組長。我是想不通你拖著這麼多人來陪你幹什麼？要是今天有人掉到山下送了命，算誰的？”“唯有犧牲多壯志，敢叫日月換新天！唐書記，你要是幹擾我們工作，我就能撤了你的職，你信不信？”“信！您行行好，現在就撤了我。”

“聶組長，你怎麼能發火呢！”陳組長陪著笑臉對三伯說，“您放心，沒有上級的指示，調查組不會撤您的職。再說，我們完全依靠您開展工作。這生活上的事，也要請您費心給安排一下。比如，能不能幫我們買一些糧食和蔬菜？”

“糧食我們肯定沒有富餘的。你們還是跟公社張主任商量解決。今晚這頓，算我個人招待各位。明天起，我可以幫助你們借一些。蔬菜動員各家賣一些給你們。要過年了，興許誰家殺豬，你們還能買到一些肉。如果有人在山上打到野味，我讓他們賣給你們。你看怎樣？”三伯的態度挺好。陳組長連聲說，“好，好，謝謝。”

三伯說，“走了一天山路，早點歇著吧。電話在桌上，你們跟公社和縣裏聯系還是很方便的。哦，電話和有線廣播用的是一根線，每天廣播的時間不能用。”他拉著六叔走到門口，對看熱鬧的人大聲說，“北京來的同志要休息了，大家回去吧！”

第二十二章

第二天，調查組的陳組長讓三伯召集雲嶺大隊和各生產隊幹部開會。由於有些山村距離唐家坳很遠，來開會的幹部接近中午才到齊。陳組長說明調查組是來雲嶺大隊查找失蹤的包省長的。參加會議的人你看看我，我看看你，覺得丈二和尚摸不著頭腦。接著有人問包省長是怎麼不見了的。調查組的人一說，會場立刻炸開了鍋。這些老實巴焦的農民對於鬥爭和毆打包省長非常不理解。有人幹脆判斷：一定是把包正清打死了的人怕擔責任，偷偷埋掉，再編造出他跑掉了的謊言。查查看，打他的人裏面有沒有公報私仇的？有沒有四類分子（地、富、反、壞）？這些話，句句都戳在聶文龍的心窩子上。

聶文龍不讓參加會議的基層幹部離開會場。然後一個一個叫到小房間，由兩個組長問話。問完一個放一個回家。他們關鍵是想問出，是不是唐家兄弟倆事先跟他們統一口徑了。結果證明，這些幹部只知道上頭來人，根本不知道來幹什麼。大家還說，從縣城到青崖鎮只有一條水路。從青崖到唐家坳也就是一條山路。村子就這麼一點大，別說是省長那麼大的官來，任何一個外鄉人來了也瞞不住青崖鎮的人和村裏人。

兩個組長問話時，其他留在會場的幹部你一言我一語地對看守著他們的調查組成員說，他們一定是受騙了。這不明擺著的事？打死，或者逼著包省長自殺的人，想糊弄中央，編排出這麼個故事。一來想推卸責任，二來借機會公報私仇打擊人，比如尚書記。尚書記是紅小鬼出身，父母都是在舊社會餓死的，根紅苗正，一心為民。他要不是好人，那共產黨裏也就沒有好幹部了。

六叔和三伯被留到最後問話。六叔被問完話以後，先回到三伯家，跟唐奶奶和三伯媽說了開會的情況。他說，“我看那幾個北京和江安來的幹部，被這兒樸實的山村幹部看成傻瓜，臉上都掛不住了。他們自己可能原本就不相信聶文龍的假設，現在更是覺得荒唐。他們也表示一定會把大家的意見向上面反映哩。”

三伯回家後又告訴我們，“聶文龍不讓幹部離開。調查組的人也同樣一整天沒吃飯。他這麼瘋狂，其他同志不可能沒意見。張主任今天來電話，說公社調劑了一整天，給籌集了二三十斤粗糧和細糧，明天會派人送來。再要糧，就得從縣裏調了。我看啊，在這麼艱苦的生活環境裏，他們堅持不了幾天。”

可是三伯估計錯了。據說，聶文龍當晚直接把電話打到北京。他們來的第三天，調查組改變了策略，兩人一組分頭找村民談話，不讓本地幹部參加。

第三天的晚上，先後有幾個人到唐家來報信。“唐書記，你可要當心。調查組的人說你們唐家兄弟一手遮天。他們要揭開雲嶺大隊階級鬥爭的蓋子，說不獲全勝絕不收兵。”“唐書記，那個姓聶的組長說他同中央文革小組直接通了電話。中央領導堅決支持他查找江南省最大的黑幫分子包正清的革命行動。”“唐書記，事情鬧大了！聶組長說，上面要派省裏縣裏的造反派和公安人員來這兒，加強調查組的力量。把公社和大隊一級的文化大革命發動起來。”……

這些來報信的村民，匆匆地來，說完就走。他們在跨出大門前都探頭看一看，生怕被別人發現。

六叔晚上一直在三伯家待到很晚。他嘆了一口氣，對三伯說，“三哥，山雨欲來風滿樓。聶文龍這小子能量不小啊！”“還不是拉著大旗當虎皮。他能把我們怎麼樣？搞四清那會兒不也是虎頭蛇尾。” “三哥啊，不一樣了！你千萬別想著我們是貧農出身，是革命烈屬，誰都不能把我們怎麼樣。入秋後我去江安，看到街頭掛牌子示眾的，被押著遊街的，批鬥會上被打得遍體鱗傷的，可不全是五類分子！遠的不說，包省長不僅是烈屬，他父親可是共產黨的創始人之一，他本人幹了一輩子的革命。再說尚書記，他不只是苦出身，還是老紅軍，過去戰功顯赫。他們都能變成鬥爭對象，何況我們？”

“唉，這都是怎麼啦？風水輪流轉？” 三伯疑惑地望著六叔。

“要說這話，三哥，我在縣城同學家聽一個過去當過陰陽先生的人說，這次運動，那些打人最兇的紅衛兵是初中生。這些 50-52 年出生的紅衛兵，都是解放後鎮反被槍斃的地主、富農、歷史反革命分子投胎。他們覺得死得冤，投胎轉世到了出身好的工農家庭，趁著文革，轉過來鬥爭共產黨的幹部，把前世的冤仇給報了。” “嘖，嘖。說得怪瘆人的。照這個說法，青崖鎮上的薛老財，還有投降解放軍被放回家，又被我們貧協給槍斃了的國民黨袁團長，都投胎成人，找我們算老賬來了？” “三哥，這種迷信的話，當笑話聽聽，苦中作樂唄。” 弟兄倆都笑了。

三伯很快又嚴肅起來。“老六，你說，老媽和你嫂子會受到牽連嗎？幾個孩子呢？” 六叔搖了搖頭，“不至於。他們可能往死裏整我倆，借此給媽，給幾個孩子施加壓力。我老婆那邊沒問題，她什麼也不知道。” “嗯。當初幸好多了個心眼，沒讓弟妹知道。否則她可受不了看你挨打。你嫂子挺得住，她的性格我知道。媽經歷多了，比誰都堅強。可是孩子們……” 說到這裏，三伯和六叔不約而同地把眼光轉向坐在一邊的我。

“三伯，六叔，你們放心，我會寧死不屈！” 我的心跳加快，血往腦門上湧。

三伯把手放在我的肩上。“金伢子，好樣的！要知道，一句話說錯就會牽累許多人。想著你爸爸媽媽和包爺爺，心裏就會有定力。” “嗯！” 我咬著牙，使勁點點頭。

調查組到唐家坳的第四天下午，迎來了他們的援兵。公社還派了民工幫他們挑行李和糧食蔬菜。他們擺出要在唐家坳常駐，“不獲全勝，絕不收兵”的架勢。又有人來報信，“這次來的公安還帶著槍！”

“今天已經是臘月二十三。竈老爺上天去了，這些惡神倒是來了。看樣子，他們是不想讓我們過好這個年了。” 三伯語氣沈重，“是禍躲不過啊。”

那天晚上，調查組在大隊部召開了“雲嶺大隊文化大革命積極分子動員大會”。

臘月二十四，我們剛吃完早飯，就聽到有人“咚咚咚”敲門。柱子把大門打開。好家夥，外面站著十幾個人，同幾個月之前我爸媽被抓時的陣勢差不多。帶頭的正是聶文龍。他一副兇神惡煞的模樣，胸前戴著毛主席像章，左臂上戴著紅袖章。再一細看，他們的紅袖章上印有“貧下中農造反隊”幾個黃色大字。這一定是調查組後來的人從城裏趕製帶來的。

聶文龍操著怪怪的腔調說：“唐大江，有請了！” “幹什麼？” “到大隊公稻場，參加革命群眾的大會！” 三伯鼻子裏“哼”了一聲，“什麼內容？我是大隊黨支部書記，事先怎麼不知道？” “唐大江！老實聽著：你們唐家兄弟在雲嶺大隊一手遮天的日子已經一去不復返了！原大隊黨支部靠邊站了！你們被奪權了！現在是革命造反派說了算。跟我們走！”

三伯轉過身，平靜地對我們說：“你們在家待著。我去看看這幫人怎麼在革命老區造反。” “不行！都得去受受教育！” 聶文龍叫了起來。三伯鄙視地看了他一眼。“聶文龍，我怎麼瞧你像是國民黨還鄉團？” 聶文龍“啪”地抽了三伯一個嘴巴子。杏花看了“哇”地嚇哭了。三伯往地下啐了一口唾沫。

“越看越像！當年的還鄉團後來還能跑到臺灣香港去。你往後逃都沒有地方逃。” “帶走！” 聶文龍揮揮手。

公稻場是用來把生產隊收的莊稼曬幹後脫粒的一塊平地。這是柱子前幾天給我解釋的。他說，在山外水鄉平原這麼叫才名副其實，公共打稻穀的場子嘛。山區谷地只有小片的水田可以種稻子，其餘都是些零碎的坡地，只能種玉米、山芋和南瓜什麼的。但是集體有了這麼一塊平場子，開群眾大會就方便多了。我們到那兒的時候，會場都佈置好了，兩個粗毛竹豎了起來，中間拉出橫幅“雲嶺大隊批鬥走資派唐大江唐香河大會”。

唐家坳家家戶戶都被叫到會場，就連附近小村子裏的社員都被叫來了。

聶文龍對著本地青年指手劃腳地說了半天，卻沒法說服他們對三伯動手。最後還是調查組的人上前，兩個人各扯三伯的一隻胳膊，將他押到會場前面。他們一隻手扯住三伯的手往後拉，另一隻手把三伯的頭往前推。我知道這叫“坐飛機”或“噴氣式”，意思是把被鬥的人弄成飛機的模樣。在江安都是這麼鬥人的。

那個北京來的陳組長首先發言。“老鄉們，我們是北京來的，是受中央文革小組和公安部的派遣，來江南省調查走資派包正清失蹤案的。那一位是江南省工人造反司令部的聶文龍同志。我們到這裏調查包正清的下落。可是，受到了雲嶺大隊原黨支部書記唐大江和原民兵營長唐香河的極力阻撓。所以，中央首長指示我們，必須把群眾發動起來，把唐家兄弟打倒，搞臭。這樣，我們的工作才能順利開展。把唐香河也押上來！”

同樣，本鄉人沒有動手的。還是由另外兩個城裏來的造反派推著六叔走到橫幅下。聶文龍舉起右手，扯著嗓子喊：“打倒黑幫分子唐大江！” “打倒黑幫分子唐香河！”

會場上只有調查組的人和帶紅袖章的本地青年跟著喊。聶文龍叫喚著，“龐家輝，你上臺發言！”

那個叫龐家輝的年輕人走到前面，從衣兜裏掏出一張發言稿唸了起來："毛主席教導我們，'革命無罪，造反有理！'毛主席還說，'凡是反動的東西，你不打，他就不倒。這也和掃地一樣，掃帚不到，灰塵照例不會自己跑掉。' 我要揭發黑幫分子唐大江和唐香河在雲嶺大隊一手遮天，阻攔文化大革命的反革命罪行！我們從香河中學放假回鄉後，醞釀組織造反隊。唐大江拍著我的肩膀威脅我說，'輝伢子，雲嶺大隊窮得叮噹響，舊社會連個富農都沒有，你在這兒造誰的反？' "

聶文龍一直都在觀察群眾的反應。他看大家滿臉的不解，覺得這樣下去沒法繼續動員，於是走到被扯住雙臂的三伯面前，指著他的鼻子："唐大江！你說沒說過這話？" "說過。這是事實！" 三伯的話音未落，臉上挨了聶文龍好幾巴掌。"這就是反對文革的鐵證！"

我看聶文龍繞到三伯身後，馬上想到他會從背後踹三伯。果然，他一腳踹在三伯的小腿上。三伯冷不防，前膝著地。聶文龍抓住三伯的頭發搖晃，大叫："打倒反革命分子唐大江！"

周圍一片嘩然。"繼續發言！" 聶文龍命令。

龐家輝繼續唸："偉大的無產階級文化大革命是毛主席親自發動和領導的，觸及億萬人心的大革命。不是唐大江、唐香河兄弟倆可以阻攔的。我們雲嶺大隊的革命新一代，決心在中央文革小組的親切關懷下，把唐家兄弟鬥倒鬥臭！唐大江口口聲聲說自己是貧農出身，是革命烈屬。告訴你，唐大江！不管你是什麼人，只要你膽敢反對無產階級文化大革命，我們就堅決把你打倒在地，再踏上一隻腳！"

又是一陣口號。接著幾個青年積極分子發言。有人提到三伯和六叔是包爺爺和我爸爸在唐家坳的"代理人"，是包正清這條反革命黑藤上的"大毒瓜"。

聶文龍滿臉獰笑。"老鄉們，都聽到了吧？唐大江、唐香河是我們省最大的反革命修正主義黑幫分子包正清的黑爪牙。

包正清從革命造反派的監控下逃跑了。有人反映，他很可能逃到青崖公社來了。你們不要不相信。告訴你們，包正清手下大將尚和的狗崽子尚進，化名金伢子，就藏在唐大江家！” 他又把手一揮，“把小反革命分子尚進抓起來！”

龐家輝和另一個戴紅袖章的後生立刻向我沖來。唐奶奶一把將我摟到懷裏，大聲說：“金伢子是我帶大的。他才十歲！他爸媽被抓，不來找我找誰？你們誰敢抓他，我就同誰拼命！”

三伯媽和柱子不約而同地護住奶奶和我，把沖在前面的龐家輝推開。周圍的人紛紛指責他們，“欺負這麼小的孩子，真不要臉。” “你家就沒有老的小的？” 那個當過紅軍的龐爺爺從人群裏擠了過來，伸手揍了孫子龐家輝一巴掌。“輝伢子，你要是幹這種缺德事，今後就不要再進家門！”

調查組的陳組長見到情況不妙，湊到聶文龍身邊說了兩句，然後分開眾人，把龐家輝他們倆往回推了一把，大聲說，“好了，好了！大家安靜！聶組長的原意哩，是要帶這個尚進去瞭解情況。這樣吧，今天就算了。但是，在需要的時候，我們還是要找這個孩子詢問一些問題的。今天的大會就開到這裏。回去大家想一想。如果想到唐大江和唐香河有任何隱藏三反分子包正清的蛛絲馬跡，立即向調查組匯報！”

沒等陳組長說完，老鄉們紛紛四散離去。聶文龍惡狠狠地叫起來：“把唐大江唐香河關起來審訊！有反對調查組，阻礙我們清查工作的，都會是一個下場！”

我們一家老小回到家裏。六嬸抱著毛伢子哭哭啼啼地也跟著來了。三伯媽不僅要哄著杏花，還要安慰六嬸，“你就放心吧。香河沒事的。四清那會兒，也有工作組，也是把大江關起來查。結果還不是什麼事也沒有。” “這回可不一樣，他們是中央派來的。”

唐奶奶不耐煩了。“中央派的又怎麼樣？他們要查包省長，唐家坳有誰見過包省長的影子？哼，明擺著嚇唬人。我告訴你，那個姓聶的把人害死了，到這兒做做樣子罷了。”三伯媽拉著六嬸的手，“春華，你早點回去吧。我送你一程？”“不用送。三嫂，奶奶和幾個伢子還要你照應。我走了。”

六嬸走了。奶奶嘴裏不停地唸叨，“不得好死的聶文龍。我咒他活不過大年三十！”我問，“奶奶，聶文龍是最壞的家夥吧？他要是死了，調查組就會離開唐家坳是不是？”“我看是。你六叔說，外面都說包省長投江自殺了。姓聶的堅持要上頭派人來查。沒有這個瘋狗，那幾個北京和江安的幹部早回去過年了。誰願意在山溝裏待著？”

整整一天，家裏面氣氛特別沈悶。我想著三伯和六叔免不了被毒打逼供，心裏特別難受。聶文龍最後會不會找到包爺爺？如果他們找到草廟去，就連青燈法師也會被抓起來。我是不是應該去給他們報個信？

過去常常有人誇我聰明，我還真的以為自己挺聰明的。現在我才知道自己有多笨。這些壞蛋追到山裏來，把三伯和六叔都關起來了，我一點辦法都想不出來。要是爸爸在，肯定會有辦法救他們。辦法總會有的。孫悟空護送唐僧西天取經，遇到九九八十一難不都解決了嗎？《西遊記》是神話故事，可是小英雄雨來，比我大不了兩歲，不也是寧死不屈，還想出辦法從鬼子的槍口下脫身嗎？我怎麼就想不出救三伯六叔和包爺爺的辦法來呢？

第二十三章

“臘月二十五，推磨做豆腐。”可是，家裏哪兒有準備過年的心情啊？奶奶和三伯媽愁眉不展，我們幾個孩子誰也不說話。我把練習本和鉛筆拿了出來，腦子裏卻像裝著一團漿糊，不知道該幹什麼。我湊到磨柴刀的柱子跟前，低聲說，“柱子，三伯和六叔不知道怎麼樣了。能打聽到消息嗎？”柱子點點頭，把柴刀收起來，也壓低了嗓門說，“金伢子，你在家，我出去打聽打聽。”可是他剛走到大門口，就聽到三伯媽嚴厲的話音，“柱子！你給我老老實實在家待著。哪兒也別去！”

中午時分，一個大嬸神色緊張地跨進大門，三伯媽立刻把她拉進屋，奶奶也跟著進去了。她們關上門小聲說話。我和柱子把耳朵貼在門縫上聽，可什麼也聽不清。後來，裏面傳來三伯媽的罵聲和奶奶的哭聲。

柱子把我拉到院子裏的草堆邊。柱子說，“我爸和六叔肯定挨打了。前幾年搞四清我爸就挨過打。”“那怎麼辦？”“能有什麼辦法？”柱子停了一會兒，恨恨地說，“我真恨不得一刀劈死那個聶文龍！”“那不行。你劈了他，調查組還不把你當殺人犯給抓起來？”“我去坐牢，挨槍子兒，換回我爸和六叔，也值！”“不行！小孩犯罪都會被說成是大人指使的。三伯和六叔本來就沒有問題。你要是這麼胡鬧，反而有罪了。”

柱子想了想，變得垂頭喪氣。“我爺爺在舊社會受窮受氣，還能去參加紅軍，打地主老財，打反動派。可是現在我們受欺負，我爸和六叔被毒打，我們倒是什麼也幹不了。”過了一會兒，他說，“金伢子，你腦子活便，又讀過那麼多的書。你一定能想出辦法，救我爸爸和六叔，也救你包爺爺的！是吧？”

“我，……”唉，我都笨死了。我哪兒能想出辦法來啊！

這一天特別長，特別難熬。傍晚一家人圍坐在飯桌前吃煮紅薯喝玉米糊糊的時候，廣播喇叭響了，傳來張主任的聲音。“各大隊注意了。收音機裏剛剛聽到的消息：中央氣象臺預報，由西伯利亞和蒙古高原南下的一股冷空氣，前鋒已抵達我國內蒙、山西、河北一線。估計明天下午和晚間，長江中下遊一帶受這股冷空氣影響，有中到大雪。請各大隊做好大雪封山的準備。保護好耕牛和集體財產。”

“好！”我叫了一聲，把家裏其他人嚇了一跳。所有人都停下不吃了，詫異地看著我。他們也許各有各的心思，誰也沒注意廣播喇叭裏在說什麼。

“怎麼了，金伢子？”三伯媽問。

“廣播裏說要下雪了。一下雪，香水河就會結冰。調查組的人就回不去了。”我解釋。“回不去不是更糟了？唐家坳誰家也別想過個安生的年。”柱子不懂我為什麼叫好。

“所以啊，他們聽到這個消息，一定急著走。”

奶奶明白了。“金伢子說得對。他們軍心動搖，只能草草收場。”

柱子問，“他們會不會把爸爸和六叔帶走？”

“不會吧。他們什麼證據都沒有。要是單憑‘走資派’三個字就把大隊支書和民兵營長帶走，哪兒有那麼大的地方關這些農村基層幹部。”三伯媽說得挺有水準。不過她也擔心，“唉，可柱子他爸和六叔身上牽扯著包省長這麼大的案子，也就說不準了。”

奶奶接著說，“不管怎樣，要下大雪，對調查組來說可不是個好消息。他們來了十幾口子，糧食不夠吃。船開不來，他們只能跟唐家坳的人借紅薯吃了。”

我心裡想，張主任可能是故意廣播這個通知的。奶奶和我想到一塊兒去了。她說，“張主任該不是故意提醒調查組的吧？”

“真是。” 三伯媽也說，“張主任手裏沒有存糧供應給調查組。他的壓力大，煩那些給青崖找麻煩的人，肯定希望他們早走早好。哼，沒有那個姓聶的狗雜種，恐怕連調查組都不會有，更別說到山裏來了。這個不得好死的王八蛋！”

山裏人睡得都早。我們晚飯後不久就都上了床。

我問過柱子，為什麼一到晚上，唐家坳整個村子都是“烏燈瞎火”的。柱子說，吃那麼一點東西不抗餓，不睡，過一會兒又餓了。再說，沒有什麼事情好幹啊。過去有自由市場的時候，晚上可以做一點手工活，比如編竹籃子藤筐子什麼的，拿到鎮上或縣城去賣。可是現在“割資本主義的尾巴”，不讓集市上搞自由買賣。那誰還做手工編織呢？他這麼一說，我就明白了：江安的早市，不就是人偷偷摸摸地買賣東西嘛。我還被民兵盤問過哩。柱子還說，點燈的油錢一般人家也拿不出。“我們大隊部存的那點煤油，恐怕幾個晚上就會被調查組給燒光了。”

我碰了碰身邊的石頭。他沒有反應，睡著了。我低聲對柱子說，“柱子，我想去大隊部偵察一下，看看他們把三伯和六叔怎麼了，聽聽聶文龍他們還想搞什麼陰謀詭計。”柱子一聽緊張了，“哎呀，奶奶不會讓我們去的。”“我們偷偷地去，不讓奶奶和你媽知道。”柱子不吱聲了。我使勁拍了他一下。“你不是說讓我出主意救你爸和六叔。不知道他們下一步幹什麼，怎麼救他們？”“知道了你又能怎麼樣？”“那也沒準我就能想出辦法來。”

柱子翻身起床了，在黑暗裏摸索著穿衣服。我馬上也行動起來。我倆輕手輕腳地來到大門邊。沒想到裏屋的三伯媽耳朵尖，問了一句，“誰呀？” 柱子回了句，“我。撒泡尿去。”我們出了門。柱子拉住我，站了一會兒，返身再把門推一下又關上。側耳細聽，三伯媽沒再說話，我們才往外走。走到院門口，一個黑影竄了過來，是喜子。柱子抱住它低聲說，“你在家看門！聽到沒有！” 然後拍了拍喜子的頭。喜子沒有跟我們出門。它真的通人性。

陰天，天上連個星星都沒有，四周黑乎乎的。柱子路熟。我抓著他的胳膊往前走，拐了兩個彎便看到不遠處大隊部視窗殷紅的燈光。我拉了拉柱子，示意他停下，在他耳邊輕聲說，“柱子，我們一會兒先繞著大隊部走一圈，看看他們有沒有人放哨。”他點了點頭。我們圍著那幾間房子繞圈的時候，每隔一座草屋或者院子就停下一小會兒，聽聽看看。我還撿起小石子往那邊扔，沒動靜。看樣子，調查組沒有派人在外放哨。我們這才摸索著往大隊部窗下蹭過去。

山裏農民的草屋都比較矮小。大隊部的幾間房子在唐家坳算是最高大的了，也不過和我們江安實驗小學的教室差不多。門窗都在正面，不過大隊部的窗子可比教室的窗戶小得多。因為窗前是面積不大的公稻場，無遮無掩的，我們只能從側面過去。在距離小窗十來步遠的地方，就聽見裏面的訓斥聲，間或有打人的聲音。聽到棍子和皮帶打到人身上的聲音，我不由自主地哆嗦起來。我能感覺到柱子也渾身哆嗦。在摸到大隊部山墻之後，我們貓下腰來往窗下挪。到了窗前，一人一邊慢慢把頭伸到窗沿往裏看。

第一眼就看到屋子中央的三伯和六叔。這麼冷的天，他倆上身衣服都被扒光了，胳膊反綁著，脖子上套著一個繩圈，繩圈是從屋頂房樑上放下來的。繩子並沒有拉直。聶文龍手裏提著那條帶銅頭的老式軍用皮帶，圍著三伯和六叔轉，嘴裏喘著粗氣，不停地叫著：“說，你們給我說！包正清被你們藏到哪兒去了？” 他用手指著周圍拿著木棍的本地青年，“你們看到沒有？死硬的走資派就得這麼對付！他們不投降，就往死裏整！怕什麼？我們有中央文革小組和毛主席撐腰！小龐，給我使勁打！”

那個老紅軍龐爺爺的孫子咬著牙瞪著眼，掄起木棍“啪”地打在三伯的大腿上。三伯撐不住，身子向一邊倒去。他這麼一倒，脖子立刻被繩圈扯住。三伯掙紮了好一會兒才重新站立。另一個本地後生有樣學樣，也給六叔來了這麼一棍子。六叔的脖子被繩子扯住後，掙紮了幾下，再也站不起來，人一下子軟癱了。“六弟！”三伯慘叫了一聲。我在窗外用手緊緊地捂住自己的嘴巴。

只見那個陳組長走過去抱住失去知覺的六叔，把繩套從他脖子上拉了下來，然後把他往地下一扔。另外一個調查組的人從旁邊水桶裏舀了一杯水，澆在六叔臉上。六叔動了一下。陳組長拍了拍聶文龍，頭向大門外晃了一下。聶文龍披上大衣，兩人往外走。柱子拉了我一下。我倆趕快往山墻那邊跑，我蹲下，柱子站在我身後，兩人都露出一隻眼睛盯著大門那邊。

大門“吱呀”一聲被打開了。陳組長和聶文龍前後腳出了門。

陳組長掏出香煙，自己嘴角叼上一根，又遞給聶文龍一根。“老聶，這樣下去，人被整死了也未必能審出個子醜寅卯來。”他劃了根火柴，給聶文龍點上，自己也點上。聶文龍猛吸了一口煙，惡狠狠地說，“他媽的，山裏頭的人骨頭真硬。這要是在江安，早他媽交代了。”“包正清不在這兒，你讓人交代什麼？”“弄半天你老陳意志也不堅定！”“這和意志有什麼關係？我們一點兒證據，一點兒線索也沒有啊。你憑什麼一口咬定包正清藏在這兒？”“憑直覺！憑包正清的屍體沒有找到！憑我對尚和的瞭解！我跟你說，尚和把包正清看的比親爹還親。這天底下又沒有尚和不敢做的事。他一定會豁出命來保住包正清。而最有可能藏人的地方就是，也只能是雲嶺一帶！”

陳組長無可奈何地聳聳肩。“好吧，信你的。那，要下雪了。我們糧草不夠，人心思歸。春節誰家不盼著吃個團圓飯？你看是不是讓一部分同志先走？”“不行！”聶文龍回答得斬釘截鐵。“老陳，我把醜話說在前頭。對包正清活要見人，死要見屍。這可是江青同志親口對我說的。誰走誰就是逃兵！”

“唉！”陳組長嘆了一口氣。“老聶，你也看到，我一直是支持你的。對嫌疑人唐大江弟兄倆，我也沒有心慈手軟。可是，我對這樣逼供能否奏效信心真的不大。你倒是給我透個底。下麵你還有什麼招。”

聶文龍鼻子裏“哼”了一聲。“我當然有辦法。尚和被公安機關收押，我們專案組鞭長莫及。再說想從他那裏審問出什麼來基本沒門。所以才要下力氣從側面突破。我們這邊拷問唐家弟兄倆。大龍山那邊也正在把尚和的老婆往死裏整。不過那女人同樣是個死硬分子。今天白天我打電話過去問，她還什麼都沒招。”聽聶文龍說到往死裏整我媽媽，我渾身不由自主地又顫抖起來。柱子也蹲了下來，從側面抱住我。

“要不要利用她的兒子逼她就範？ ”陳組長問。沒想到這家夥也這麼歹毒。

“不。如果那個小子沒有跑到唐家坳來，倒是可以利用的。可是不在當媽的眼前，光是說說，還攻不下她的心。她說了，不信會有人支持我們迫害一個十歲的孩子。”聶文龍又惡狠狠地“哼”了一聲。

“你側面突破不了。還能有什麼辦法呢？”陳組長著急了。“你倒是說說。你判斷包正清藏在雲嶺，他一個大活人能藏在哪兒？”

聶文龍夾著香煙的手指在空中劃了一個大圈。“山裏啊！你知道，當年紅軍打遊擊都住在哪兒嗎？山洞裏！戰爭年代包正清同尚和都在山洞裏藏過身。雲嶺這一帶有很多山洞，藏個把人不是問題。”

“那是不是需要發動群眾搜山？” 陳組長問。

“不行。你這邊發動群眾，他那邊就會知道。你沒看到這裏群眾對我們的抵觸情緒？媽的，我看連那個當過紅軍的龐老頭都不是好茬。”

“審唐家兄弟審不出個結果，發動群眾搜山你又說不行。可你還是一副胸有成竹的樣子。你這葫蘆裏到底裝的是什麼藥？”陳組長急了。

“我在等。”聶文龍壞笑了一聲，“嘿嘿。夥計，別急啊。我這不是在想著下一步的方案嗎？到時候我自然會讓你知道。沒準大年三十之前就會有個結果。大雪封山有什麼關係？到時候，我們買一頭豬殺了慶功，在山裏過一個革命化的春節！”

這時候，屋裏有人喊，“陳組長，聶組長！”

聶文龍大叫一聲，“怎麼啦？大驚小怪的。”他對陳組長說，“走，進去看看。”

兩個壞蛋進門以後，我和柱子便悄悄地離開了。一路我們都沒有說話。

回到家，躡手躡腳地進門，不聲不響地脫衣上床，這次我們沒有驚動任何人。過了一會兒，柱子碰碰我，“金伢子，……” 他想問什麼，可是什麼也說不出來。我小聲說，“柱子，你睡吧。讓我一個人好好想想。”他“嗯”了一聲，不一會兒就睡著了。

我哪裏能睡得著？三伯和六叔被捆綁的赤裸的上身總在眼前晃動。他們身上青一道紫一道的傷痕都是聶文龍他們用皮帶和棍棒打的。我媽媽也會被這樣毒打嗎？媽媽現在怎麼樣了？我長大了一定要象武松那樣，練出一身的本領和武功，給媽媽報仇，給包爺爺、三伯和六叔報仇！我要把聶文龍和陳組長踹到在地，打得他們跪地求饒！

可是，我太小了。就連三伯和六叔這樣的大漢子，現在也被這些人想怎麼打就怎麼打。我再怎麼發狠，也救不了他們。不但救不了他們，也保護不了包爺爺。現在包爺爺的處境很危險。聶文龍還沒有聽說離這兒不遠有個草廟，廟裏有個老和尚是我爸爸的師叔。如果哪天唐家坳有人無意中提到草廟和青燈法師，聶文龍一定馬上帶著調查組出發，直奔草廟。那可不得了。包爺爺就完了，許多幫助過爸爸藏起包爺爺的人也得遭殃。

最好的辦法，就是象電影“紅霞”裏的女英雄紅霞那樣，把敵人引向絕路。然後抱著聶文龍跳下懸崖，跟他同歸於盡。可是，如果我主動提出給調查組帶路，聶文龍和陳組長能信嗎？他們又不是傻瓜。再說，就算我把調查組引到懸崖上，又能怎樣？不等我抱著聶文龍跳崖，他一腳就能把我踢到山下去。他們換個人帶路還是能找到草廟。所以，這不是好辦法。

讓我再想想，應該還會有辦法的。爸爸說過，不管是偵察員還是破案的公安人員，遇到疑難問題都會“換位思考”。我現在明白什麼叫換位思考了。聶文龍認為包爺爺藏在附近深山的山洞裏。他跟陳組長說他“在等”，在琢磨抓包爺爺的計劃。那麼，他到底在打什麼鬼主意？如果我是聶文龍，我會幹什麼？我怎樣找到包爺爺？包爺爺是受過重傷的。一個傷員不僅需要吃的喝的，連燒火的柴草也需要別人幫助提供啊。那麼聶文龍這麼久不行動，是不是在等想像中藏在山洞裏的包爺爺熬不住了，自己跑到村子裏來？

第二十四章

夜裏，我又夢到自己在深山密林中，不知被誰拉著往前走。周邊漆黑一片。在厚重的黑幕中，一雙雙綠色的光點在移動。那是狼的眼睛！我的心猛烈地跳動起來。綠點在向我逼近。忽然，一個一丈多長的黑影猛地一躍而起，朝我們撲了過來。不是狼，是老虎！我抓起身邊的哨棒，可是怎麼也舉不起來。情急之中，飛腳踢了過去。人也醒了。被子被我踢到床下。我全身都是汗。

“哎呀，金伢子！你怎麼啦？”柱子給我弄醒了。

“做，做夢。”我定了定神。下床把被子抱到床上。石頭動都沒動。柱子把被子鋪好，翻了個身又睡了。

我再也睡不著了。接著臨睡前所想的，繼續尋思。聶文龍認定包爺爺就藏在附近深山的山洞裏，他會怎麼想，怎麼做？現在的情況太危險了！我夢裏的狼群就是那些調查組的人。那只惡虎就是聶文龍！他們隨時都會撲向我和包爺爺。我一定要馬上想出個辦法來。

說是冷空氣南下，長江中下遊有中到大雪，可是今天夜裏不但不冷，反倒是有些燥熱。我不僅不困了，而且腦子異常地活躍。我突然想起在草廟時師爺爺所說的“菩薩加持”，立即在心裏默唸：“請菩薩加持，請菩薩加持！” 說來也奇怪，這麼反復地唸著，心裏慢慢平靜下來，思路變得十分清晰。我把聶文龍的陰謀想明白了。腦子裏先是出現一個計劃，然後把每一步的細節也都思考了一遍。不知不覺中，屋裏的黑暗褪色了，耳朵裏傳來鳥兒的叫聲。小窗發白了，接著一束光線透了進來。

吃完早飯，我給柱子使了個眼色，我們先後到了門外草堆後面。我跟柱子講了我的“絕密計劃”。柱子聽了又緊張起來，結巴了半天也沒說出一個完整的句子。“這，這行嗎？管，……管用嗎？要是……”“柱子！你想救你爸和三叔嗎？”“想！”“是你讓我出主意的。你可不能裝孬！”“那不會！好，金伢子，我聽你的！”“你也想想，我的計劃有破綻嗎？”“沒……沒有。”“想想再說。”“想不出。”他使勁搖頭。我這才注意到，他腦門上都冒汗了。

“這事可堅決不能讓奶奶和你媽知道。”“我明白。”“以後跟你爸和三叔也不能說。”“不能說。”“這個秘密只有我們倆知道，跟誰都不能說，一輩子都不能說。”柱子連連點頭，重復我的話，“跟誰都不能說，一輩子都不能說。”

“那我們賭個咒。”“行，你說，我跟著你說。”我想了想，然後朝著太陽升起的東方跪了下來。“太陽公公作證。這件事只有我和柱子知道。誰說出這件事，舌頭長瘡，屁眼流膿，不得好死！”說完，沖著朝陽磕了三個頭。柱子也跪下發誓，磕頭。其實，這個做法不是從書上或電影上看來的，是我用江安人罵街的話發明的。我覺得只有這麼做了才夠得上鄭重。

我又對柱子說，“你看現在天挺好的，一點兒也不像要下雪的樣子。如果菩薩保佑我們，下午天就會變。天一變我們就行動。”“那要是天不變呢？”“那就等到明天。”我對他說。張主任說過，青崖公社的有線廣播網剛建立不到一年。山裏人還沒有聽天氣預報的習慣。我是相信氣象臺預報的。

回到屋裏，奶奶發現我倆神情不對，柱子臉都白了，於是一個勁問我們剛剛到院子裏幹什麼去了。我們當然不會說。奶奶上午眼睛總盯著我們。沒關係，我們的計劃還沒有到執行的時候哩。奶奶看我又帶著柱子、石頭和杏花學習了，並沒有打算出門的樣子，慢慢放下心來，神情也不那麼緊張了。

下午，我和柱子想著法子把石頭和杏花指派到六嬸家，說好了等劈完柴也去六嬸家。又有人來串門，三伯媽神神秘秘地立刻把門關上。這次我們沒有去偷聽。

起風了。太陽被烏雲遮住，天空很快變得灰濛濛的，天邊卻泛著淡淡的光。柱子驚喜地說，“金伢子，你神機妙算啊！”他怎麼就不記得昨天天氣預報的事了呢？我在他耳邊嘰咕幾句。他跑到他媽門前大聲說，“奶奶，媽，要下雪了。我和金伢子去六嬸家把石頭和杏花接回來。”三伯媽在屋裏應了一聲，“去吧。你們可不要屁股死沈的，坐下就不動了。給我快點回家！”

柱子背上竹簍，我牽上喜子，迅速出了門。我相信，聶文龍一定會派人監視唐家。監視的人應該不難發現我們出門。他們會盡快向聶文龍報告。我今天清晨想明白的是：聶文龍算定了我們會去“山洞”同包爺爺聯系。跟蹤我們是他找到包爺爺的最好的辦法。而且，聶文龍是偵察員出身，非常自信自己的跟蹤能力。他信不過別人，也不願意別人搶了他的功勞，一定會親自跟蹤。陳組長那麼問他，他都不說出自己的計劃，說明他只想一個人做這件事，獨占大功。菩薩保佑我的想法是對的，這樣，今天的事就不會有更多人知道。

我們先是往六叔家走，快到他家的時候，看看四周沒人，拐了個彎出村，往後山去。走一段回頭看一下。天上飄起雪花來。爬到半山腰的時候，我猛回頭，看見一個穿軍大衣的人出了村。他看我回頭，馬上閃到一棵大樹後面。

“來了。”我告訴柱子。“是姓聶的嗎？”“是！”“你真是……神機妙算。”柱子說話都哆嗦。“我就知道會是他。他最想找到包爺爺，想立大功，證明自己了不起。”“嗯。”

我對柱子說，“我們只管往前走，不用擔心他跟不上我們。他當過偵察兵，跟蹤我們兩個小孩還不是小菜一碟。”

爬上山，走到山脊的小道上時，雪下大了，四周灰濛濛的一片。我們找到那處被人砍出缺口的灌木，往下走。斜坡又陡又滑，需要抓住灌木的枝條和大樹裸露的根，幾乎是滑行而下。不過，因為走過一遍，我不覺得那麼困難了。何況，我們這次是像電影“紅霞”裏那個女英雄一樣，把敵人引向懸崖。我心裏沒有害怕。

可柱子心裏犯嘀咕，他輕聲問我，“要是姓聶的不敢往下走怎麼辦？”“不會。他打過仗，這點山路算什麼？連我都不怕。”“要是他找不到路口呢？”喲，這倒是有可能。路口挺隱蔽的，一大意會錯過。幸虧柱子提醒。

我大聲說，“柱子，這兒就好走一些了。哎，我們離仙人洞還有多遠？”然後我用手碰了碰柱子，生怕他不明白我的用意。柱子也大聲說，“啊，我們大約走了一半路，沒多遠了。”“你背簍沈嗎？要不要我換著背一段路?”“沒事。不就是一點吃的東西嘛。你是城裏人，又這麼小，能走這山路就不錯了。”

忽然，身後十來丈遠的地方傳來石塊滑動的聲音。我問，“柱子，你聽到什麼聲音了嗎？”看他一臉茫然，我又說，“我害怕。不會是狼吧？”他這才反應過來。“不會。沒有狼。狼在前些年都被打光了。可能是野兔子。不說了，快走。”

採石場的頂端到了。這就是我計劃中伏擊聶文龍的地方。我指了指小路上方那叢密密的灌木，示意柱子帶喜子躲在那後面。柱子摸摸喜子的頭，捂了一下它的嘴巴，然後又捂了一下自己的嘴巴，再搖搖手，意思是別叫。喜子看著柱子，搖搖尾巴，表示懂了。他倆往上爬到灌木後面。我往前走。為了吸引聶文龍，我繼續說話，“柱子，我爸爸告訴我，在森林裏唱歌，可以把野獸嚇跑。我給你唱個《少年先鋒隊之歌》吧。”

“我們新中國的兒童，我們青少年的先鋒。團結起來，繼承我們的父兄，不怕艱難，不怕擔子重。為了……”

再往前就沒有路了，聶文龍怎麼還沒有跟上來？那我該怎麼辦？我嘴裏唱著歌，心裏頭卻打起鼓來。

突然，身後傳來喜子一聲低沈威武的吼叫。那聲音像是從胸腔裏面擠出來的，帶著把對手一口吞下去的霸氣。我猛地一轉身，看到喜子自上而下淩空撲向聶文龍的雄姿。那個壞蛋聶文龍轉頭一看，大吃一驚，不由自主地往後撤腳，閃身躲開撲過來的喜子。他一腳踏空，身體向懸崖那邊倒下，壓倒了路邊半人高的荒草。接著他身體又一翻，“啊”地大叫一聲，跌下懸崖。

他恐怖的叫聲在山谷間回蕩著。

喜子也撲到了懸崖邊，被柱子緊緊地勒住脖套上的繩子，沒有跟著滑下去。

我忘記了危險，沿著懸崖邊的小路，跑向柱子和喜子。跑出去好幾步，才聽到懸崖下“砰”的一聲，像有一個裝滿糧食的口袋從天空落到地面。喜子又齜牙咧嘴地沖著懸崖下吼了兩聲，像是還不夠解恨。

我一直沖到柱子和喜子跟前，緊緊地抱住他們。柱子的身體在發抖，我的牙齒也一直在打顫。只有喜子不害怕，它伸出舌頭，舔舔我，又舔舔柱子，像是在安慰我倆。過了很久，我才覺得心不那麼狂跳了。擡頭看去，懸崖上空，兩側山上高大的密林間大片大片的雪花直落而下。

“雪大了，柱子，我們趕緊回去。”驚魂未定的柱子點點頭，“走，快走！”

剛剛發生的一切，就像是一場夢。這個抓走了我爸爸媽媽的最壞的家夥聶文龍就這麼死了？他再也不能禍害我們家，禍害三伯和六叔家，禍害包爺爺了？還有，發現聶文龍死了，調查組會善罷甘休嗎？他們肯定會查聶文龍的死因。他們會查到我和柱子頭上來嗎？

柱子一路連走帶跑，緊張地一句話也不說。我跟得氣喘唏噓。到了半山腰，柱子忽然停住腳步，轉身對我說：“金伢子，我們又沒叫聶文龍上山。他是自己走到採石場的懸崖邊上跌下去的。是不是？”“是。當然是！你說得對。”說完這話，我覺得心裏頭踏實了一些。

我們很快下了山。到了村子邊柱子這才又開口說話，“金伢子，是先去六叔家吧？”“是啊，晚了你媽就會找到他家去了。”

果然，我們拖著石頭和杏花往家跑，還沒進家門，就看到迎面而來的三伯媽。她見了柱子就罵，“你這個死孩子！屁股怎麼這麼沈，沒看到雪越下越大？”石頭幫他哥說話，“媽，哥沒耽誤時間。不信你問杏花。”我和柱子心虛地交換了一下眼神，好在三伯媽沒在意。“你倒是會幫你哥說話。快回家！奶奶著急了。”

我和柱子的心裏一直忐忑不安：調查組裏不知道有沒有人看到或者知道聶文龍是去跟蹤我們了。至少，我能肯定，除了聶文龍，沒有人看到我們上山。我打定主意，要是有人問，我倆肯定不承認上山了。柱子迷惑聶文龍用的竹簍按計劃留在六嬸家的柴棚裏了。明天我們就去悄悄取回來。

可能是因為聽說三伯和六叔被毒打，奶奶和三伯媽臉色很不好看，也不說話。我和柱子心裏七上八下的，躲在屋裏一人手裏拿一本書。我反正是一個字也沒看進去，只是裝裝樣子。石頭和杏花看家裏氣氛不對，自己玩自己的，也不出聲。

吃晚飯的時候，聽到有人“咚咚”地敲門，三伯媽把門打開。門外站著龐家輝和一個調查組的幹部。龐家輝很客氣地叫了聲“三嬸子”，“調查組的聶組長不知哪兒去了。我們正挨家挨户地問，看有誰下午見過他。”三伯媽沒好氣地回答，“聶大組長不見了？那可是怪事。該不是叫狼給叼走了吧？”石頭覺得好笑，“那麼大一個人怎麼會不見了？他一定是躲起來了。”我們都笑了起來。龐家輝說，“要是你們家沒人在下午見到過他，那我們再到別人家問問。”那個幹部說，“等等！你們今天下午是不是都在家？”石頭嘴快：“我和杏花在六嬸家帶毛伢子玩。”“你們呢？”他用手指了指家裏其他人。“我們哪兒也沒去。”三伯媽說。柱子補充一句：“見要下雪，我和金伢子去六嬸那兒，把石頭和杏花接回家。”那幹部把頭一擺。龐家輝跟著他離開了。

三伯媽把門關上，自言自語，“見鬼了。聶文龍玩什麼花招？”“不知道。”柱子嘟噥。我碰碰他，“你媽又沒問你。”“哦。”他明白我的意思了。石頭和杏花聽了，“咯咯”地笑起來。三伯媽又說，“他是不是看到下雪了，自己先到青崖鎮去聯系客船？”我說，“那最好了。要是明天調查組離開這裏。三伯和六叔就能回家過年了。”

這一夜，調查組和村裏的積極分子到處找聶文龍，折騰了一夜。

聽村裏老餘說，他們也想到聶文龍可能去了公社。電話打到公社，張主任也帶著人連夜在青崖鎮挨家挨戶地問。

第二天，雪還在下。有人來告訴我們，調查組裏江安市公安局馮科長的手槍不見了。問題更嚴重了。他們說，雪下得這麼大，就算有階級敵人搞陰謀，暗害聶組長，也很難找到破案的線索。但他們破案和搜索還是有經驗，他們把村裏的狗集中起來，讓嗅了聶文龍的私人物件，然後分頭沿著各條山路去尋找。喜子也在其中，我和柱子開始比較緊張，看到喜子不積極，柱子悄悄對我說，“喜子不聽別人的。它知道調查組裏沒好人。”

那麼厚的雪，狗沒有辦法聞出蹤跡來。但是，它們鼻子還是真管用。派往採石場的狗引著搜查的人，在峭壁下找到了被大雪掩蓋住的聶文龍的屍體。我們沒看見他的屍體，但到那裏的老鄉後來告訴我們，聶文龍穿著軍大衣，頭和臉都摔爛了。他腰帶上掛著馮科長的手槍。

調查組的人給屍體拍了照，檢查了有沒有其他可疑的外傷。他們又讓村民帶著到了懸崖上方。可是沒有一個人敢到懸崖邊去。好不容易有人拉著繩子下去。他們判斷聶文龍肯定是失足落下懸崖無疑。那麼，他一個人帶著槍到這麼危險的地方來幹什麼？村裏人說，聶組長肯定是嘴饞了，上山打野味，被狐狸或者野兔帶到這兒。下雪看不見路，一腳踩空了，栽下懸崖。

有人再次提出，雪後天寒，如果香水河結上冰，他們調查組十幾號人興許十天半個月都別想出山，單是糧食問題都無法解決。陳組長召集開會。調查組的全體成員一致同意當天返回香河縣。這時已經是臘月二十七的上午。於是他們馬上給縣裏去電話，要求立即開船到青崖接人。也有人聽他們議論，說給省裏也去了電話，要求派車到香河，他們要連夜回江安。這樣就連北京的人也能在年三十趕到家吃年夜飯。

三伯和六叔本來就是因為“有可能”隱藏了包正清被抓起來審問的。調查了這麼久，村子裏差不多每個人都被問過，別說包省長了，唐家坳根本沒人見過或聽說過有外人來。調查組會議上也一致同意放他倆回家，“聽候處理”。三伯和六叔被村裏人扶著回到家，渾身都是傷。三伯媽請了赤腳醫生來給抹藥、包紮，沒讓我們幾個孩子進屋看。

聶文龍的屍體怎麼辦？當然要運回江安市。總不能留在山裏嘛。可是，沒有人願意幫調查組擡屍體。雪這麼大，單身人走山路都危險。他們第一批來的人摔傷了兩個，直到現在走路還不利索。再說，要過年了，擡死人多晦氣啊。給錢？給錢也不擡。村裏人都說，你們一塊兒來的，都是膀大腰圓的男人，自己擡唄。結果，調查組所有人湊了 100 元現金，求爹爹拜奶奶，才雇了四個村民把屍體擡到青崖鎮碼頭。調查組的人說，你們每個人掙 25 塊錢可是個大數，城裏臨時工每月工資也不過 24 元錢。

等到調查組收拾好行裝，吃了點東西，十幾個人灰頭鼠臉地撤離唐家坳時，已經是中午時分。擡死人的幾個漢子回來說，天上落雪，腳下路滑，這些人一路走一路罵，火氣可大了。說的是聶文龍自己死了不算，還連累他們莫名其妙地吃了這麼多苦。等他們跌跌爬爬地到了青崖鎮，張主任在鎮外路口等候迎接，告訴他們機動船剛剛停靠碼頭。他們連公社的門都沒進，直接上船走了。

擡死人的幾個老鄉在鎮上買了年貨，還湊錢買了幾掛小鞭和二踢腿炮仗。他們趕回唐家坳時，天都黑了。

好大的一場雪啊！從臘月二十六的下午一直下到大年三十，大雪把唐家坳蓋得嚴嚴實實。唐奶奶說，打從她記事起，好像從來沒見過這麼大的雪。三伯在床上躺了三天，爬起來拄著雙拐在屋裏行走。他讓柱子去把六叔一家接了過來，一起吃年夜飯。

傍晚，屋外人聲鼎沸。老鄉們吆喝著來到唐三伯家門口。有人帶來了豆腐和豬肉羊肉。他們說要給唐書記家"沖沖晦氣"。幾掛小鞭炮"劈劈啪啪"響起來。二踢腿爆竹"砰—啪"飛上天空。頭上裹著繃帶，腋下拄著拐杖的三伯和六叔被攙扶著出了大門。他們雙手抱拳，臉上掛笑，感謝各位鄉親。

我沒有出去，爬到板凳上，透過小窗看著院子裏熱鬧的人群。石頭和杏花在人群裏竄進竄出，嘻嘻哈哈地笑著。柱子抱著喜子蹲在草堆邊，看著人群發楞。

聶文龍死了，調查組走了，三伯和六叔放回來了。媽媽今後是不是就不會被逼供、挨打了？爸爸媽媽什麼時候會被放回家？給聶文龍撐腰的"中央文革小組"會不會繼續找失蹤的包爺爺？他們會不會調查聶文龍是怎麼死的？

等到六叔傷好了，我一定讓他帶我去草廟。我有很多問題要問包爺爺和青燈法師。可是，我恐怕不能把引誘聶文龍到懸崖的事說出來。我和柱子發過誓，對誰也不能說，一輩子都不能說。哪個親人知道了這件事，都會為我們擔憂的。

柱子說得對，誰也沒叫聶文龍到懸崖上去。他自己去的，自己跌死的。

恍恍惚惚地，窗外的人群和喧鬧聲似乎消失了。我覺得自己像是趴在江安自己家的窗前，看到院子裏滿地散落的白色紙片，聽到籬笆牆上被風扯破的大字報發出的嗚嗚，還有脫落了一半的封條劈裏啪啦拍打窗玻璃的聲音。

不知道小五子和小維哥哥現在怎麼樣了。我們什麼時候才能在一起玩？蔣師傅一家都好嗎？

唐奶奶說，雪從來沒有下得像今年這麼大。這個嚴寒的冬天還不知道會有多麼漫長。

嚴冬

An Unforgettable Winter

作　者／許之微（Xu Zhiwei）

封面題字／白謙慎

裝幀設計／張向歡、梁驥

出版者／美商 EHGBooks 微出版公司

發行者／美商漢世紀數位文化公司

臺灣學人出版網：http://www.TaiwanFellowship.org

印　　刷／漢世紀古騰堡®數位出版 POD 雲端科技

出版日期／2022 年 1 月

總經銷／Amazon.com（亞馬遜 Kindle 電子書同步出版）

臺灣銷售網／三民網路書店：http://www.sanmin.com.tw

三民書局復北店

地址/104 臺北市復興北路 386 號

電話/02-2500-6600

三民書局重南店

地址/100 臺北市重慶南路一段 61 號

電話/02-2361-7511

全省金石網路書店：http://www.kingstone.com.tw

中國總代理／廈門外圖集團有限公司

地　　址／廈門市思明區湖濱南路 809 號國際文化大廈裙樓 5 樓

臺灣書店購書專線／0592-5061658、6028707

定　　價／新臺幣 750 元（美金 25 元／人民幣 158 元）